COLLECTION

FA
L

Mon BiG à moi

ULEUX
VRE
ÉANT

ANDARA

LES AVENTURIERS DES JEUX

TOP ZONE 2.0

GENEVIÈVE
GUILBAULT

Catalogage avant publication de Bibliothèque et Archives nationales du Québec et Bibliothèque et Archives Canada

Guilbault, Geneviève, 1978-

Les aventuriers des jeux vidéo

(Mon BIG à moi)
Pour enfants de 8 ans et plus.

ISBN 978-2-89746-014-3 (vol. 2)

I. Petit, Richard, 1958-   . II. Titre. III. Collection : Mon BIG à moi.

PS8613.U494A93 2015   jC843'.6   C2015-941723-6
PS9613.U494A93 2015

Écrit par Geneviève Guilbault
Illustré par Richard Petit

Dépôt légal : Bibliothèque et Archives
nationales du Québec, 3e trimestre 2016

ISBN 978-2-89746-014-3

Imprimé au Canada

Gouvernement du Québec – Programme de crédit d'impôt
pour l'édition de livres – Gestion SODEC
Andara éditeur remercie la SODEC
pour l'aide accordée à son programme éditorial.

Financé par le
gouvernement
du Canada | Canada

info@andara.ca
www.andara.ca

Salut ! Te souviens-tu du super jeu **TOP ZONE 1.0** ?

Tout a commencé quand 6-Mon et Ad-èLe ont été aspirés à **L'INTÉRIEUR** de la télévision.

5

Pour réussir le jeu,
ils ont dû parcourir
différents niveaux.

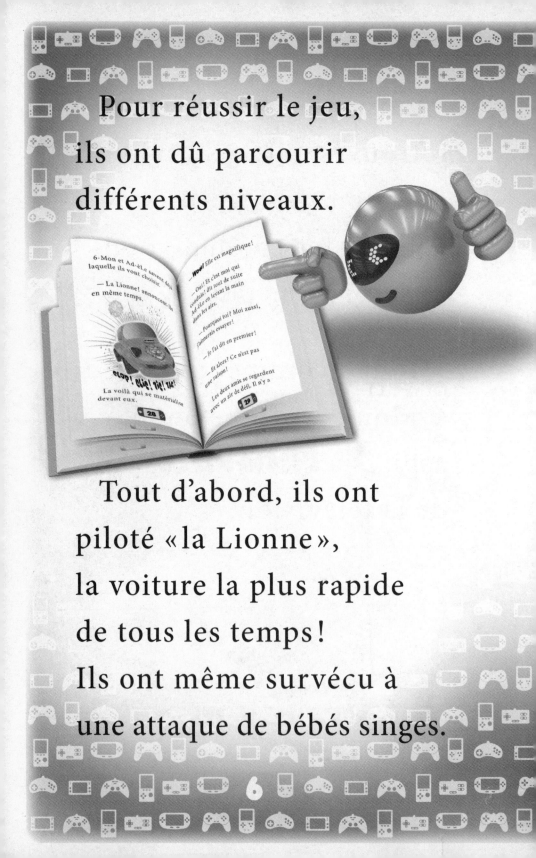

Tout d'abord, ils ont
piloté «la Lionne»,
la voiture la plus rapide
de tous les temps!
Ils ont même survécu à
une attaque de bébés singes.

Puis, ils se sont retrouvés à Hamsterville et se sont transformés en hamsters poilus. Ensemble, ils ont parcouru les tunnels et retrouvé la pierre au sommet de la pyramide.

Un peu plus tard, 6-Mon et Ad-èLe ont avalé des dizaines de kiwis pour survivre à une attaque de zombies.

Ensuite, ils ont plongé
dans l'océan et embrassé
des poissons pour
récupérer un maximum
de pièces d'or. Ils ne
se doutaient pas qu'ils
feraient la connaissance
d'une pieuvre géante
et puante!

je suis beaucoup plus beau avec une couverture. Qui suis-je?

6-Mon et Ad-èLe se regardent en souriant. Si les énigmes sont toutes aussi faciles, ils vont sortir du labyrinthe en un rien de temps!

208

— Un livre! répondent-ils en chœur.

— Hum! Je vois que vous êtes des pros.

Le lutin ne semble pas très content.

— Voyons voir si vous pourrez trouver la réponse à la suivante. La voici: Dans l'étable de Jean, il y a 116 oreilles, 232 pattes et 54 têtes. Selon vous, combien y a-t-il de cochons en tout?

209

Ils ont rencontré un lutin à énigmes, affronté des chaussures géantes, piloté un mammouth géant, dirigé un requin sans dents et joué un tour à un groupe de robots.

10

Finalement, 6-Mon et Ad-èLe se sont retrouvés sur le bateau des pirates. Ils ont affronté leur chef à coup de noix de coco et ont réussi à rendre le trésor aux habitants de l'île.

BRAVO,
LES AVENTURIERS!
VOUS POUVEZ
MAINTENANT
TÉLÉCHARGER

TOP ZONE 2.0

13

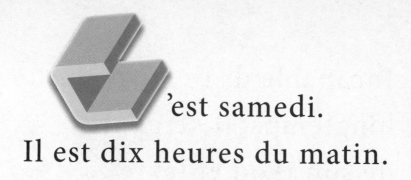'est samedi.
Il est dix heures du matin.

Dans une jolie maison
de la rue Fréchette, tout
est tranquille. Fripouille
le chien dort paisiblement
sur son tapis et Gribouille
le chat s'amuse avec une
petite balle de plastique.

Au deuxième étage,
Simon s'impatiente.

15

Incapable d'attendre plus longtemps, il s'empare de son iPod et texte son amie.

Ad-èLe

Je suis en route.

Le jeu est
presque prêt.
GROUILLE!

6-Mon

Ad-èLe

Attends-moi
avant de
commencer!

 17

Quelques minutes plus tard, les deux amis ont les yeux rivés à l'écran de la télévision. Ils attendent avec impatience que prenne fin le téléchargement de **TOP ZONE 2.0**.

—Si tu savais à quel point j'ai hâte! soupire Adèle, en faisant les cent pas dans la chambre de son ami.

—Moi aussi! ajoute Simon, tout autant fébrile. La première version était **TROP** géniale!

—Oui, je me demande ce que nous réserve la suite!

La console de jeu émet un « **BIP** » et un message apparaît enfin. Simon et Adèle retiennent leur souffle et lisent ensemble:

TOP ZONE 2.0

Bienvenue dans l'univers de

TOP ZONE 2.0,

chers aventuriers !

Un merveilleux voyage

vous attend. Mais avant,

veuillez compléter

les informations

manquantes.

—C'est une blague,
ou quoi? rigole Adèle,
en lisant les questions.

—On ne dirait pas...,
pouffe Simon, mais c'est
vraiment très **DRÔLE!**
Allez, on répond et
ensuite on pourra
commencer à jouer.

TOP ZONE 2.0

Identifiant : 6-Mon

Jour préféré : Samedi

Êtes-vous pour ou contre les sourcils ? : Pour

Odeur des pieds : Fromage pourri

Dernière visite chez le dentiste : Le mois dernier

TOP ZONE 2.0

Identifiant : Ad-èLe

Longueur du nez :
7 centimètres

Pâtes ou pizza ? : Pâtes

Pays d'origine : Canada

Arc-en-ciel préféré : ???

EUH!

23

Une fois les informations complétées, des instructions apparaissent à l'écran.

TOP ZONE 2.0

Le monde est en

DANGER.

Il y a quelque temps, des créatures extraterrestres ont caché des météorites

aux quatre coins de la planète.

24

Éliminez-les avant qu'il soit trop tard. Pour ce faire, vous devez parcourir les différents continents, réussir les épreuves et ainsi neutraliser les météorites avant qu'elles explosent. Nous comptons sur vous pour sauver la Terre et ses habitants. Si vous y parvenez, vous serez des  à tout jamais. Sinon...

— Sinon quoi? veut savoir Adèle, en relevant les sourcils.

Le jeu ne donne pas plus d'informations.

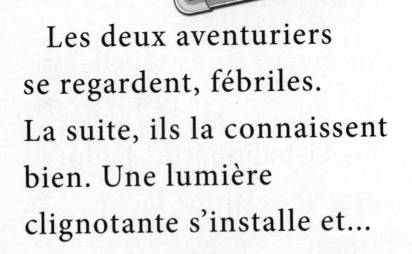

Les deux aventuriers se regardent, fébriles. La suite, ils la connaissent bien. Une lumière clignotante s'installe et...

GROSSIT...

GROSSIT...

GROSSIT!

VLOUP!

Ils sont aspirés à l'intérieur de la télévision.

— Ti-babouette! J'adore cette sensation! lâche Simon.

 27

—Moi aussi! ajoute Adèle. On a l'impression de voler!

Ballotés d'un côté et de l'autre, les deux aventuriers rient aux éclats. Leur corps vole dans tous les sens, puis…

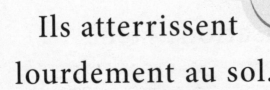

Ils atterrissent lourdement au sol.

LE MONDE

6-Mon et Ad-èLe se relèvent en se frottant les fesses.

29

—Où sommes-nous ? demandent-ils en même temps.

Autour d'eux, tout est sombre. Ce n'est pas très rassurant. Au bout de quelques secondes, des lumières s'allument et dévoilent une immense carte du monde sur le mur devant eux.

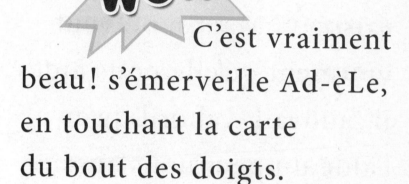

— **WOW!** C'est vraiment beau! s'émerveille Ad-èLe, en touchant la carte du bout des doigts.

—Oui, c'est vrai que c'est beau, marmonne 6-Mon à son tour. Les instructions disaient qu'on allait parcourir les différents continents. J'imagine que la carte va nous servir de guide pendant notre voyage.

31

—Tu as sûrement raison… Mais si on veut vraiment qu'elle nous aide, il faudrait d'abord qu'on l'aide un peu, nous aussi.

Qu'est-ce que tu veux dire?

Ad-èLe avance d'un pas pour mieux observer le tableau.

—Regarde, dit-elle en pointant des parcelles de terre. Les continents ne sont pas à la bonne place.

—Ah… Pour vrai? s'étonne 6-Mon. C'est possible. Je ne suis pas très bon en géographie, tu le sais.

—Pas besoin d'être bon en géographie pour savoir que l'Afrique ne se trouve

pas dans l'océan
Antarctique, note Ad-èLe.
Il suffit d'être logique.

—Oh! Regarde!
constate à son tour
6-Mon. L'Amérique du
Nord a la tête en bas!
J'imagine qu'on doit
remettre tout ça dans
l'ordre, si on veut
commencer le jeu.

—Oui, c'est aussi ce
que je crois.

6-Mon et Ad-èLe
glissent leurs doigts
sur la carte et déplacent
les continents de manière
que chacun retrouve
sa place.

TOP ZONE 2.0

Bravo! Vous êtes
maintenant prêts à
commencer!

Les sept continents
s'illuminent
instantanément.

35

Curieuse, Ad-èLe
pose un doigt sur l'Asie.
Aussitôt, la carte s'éteint
et les deux amis se
retrouvent plongés
dans le noir.

LE JAPON

À vos marques, prêts, luttez !

37

orsque la lumière revient, les deux aventuriers n'en croient pas leurs yeux. La pièce dans laquelle ils se trouvent est **IMMENSE** et remplie de spectateurs.

— Où sommes-nous ? chuchote Ad-èLe, impressionnée. On dirait un aréna.

—Ce n'est pas un aréna,
lui explique 6-Mon.
C'est une arène de sumo.

—Qu'est-ce que c'est,
le sumo?

—C'est un sport qui
est beaucoup pratiqué
au Japon. Ça ressemble à
la lutte.

—Tu veux dire qu'on est
au Japon?

IN-CRO-YA-BLE!

6-Mon pointe le centre de l'arène.

— Tu vois, le combat aura lieu sur cette plateforme carrée. On appelle ça le dohyō.

Partout autour du dohyō, des centaines de spectateurs sont assis sur des coussins posés au sol.

41

Ils attendent que
le combat commence.

—Penses-tu qu'on
va devoir se battre l'un
contre l'autre ? s'inquiète
Ad-èLe.

—J'espère que non !
Allons voir !

6-Mon agrippe la main
de son amie et l'entraîne
au centre de la salle.
Une fois sur place,
un tableau leur annonce
qu'ils devront affronter
le lutteur professionnel...

Ad-èLe écarquille les
yeux et devient toute pâle.

—Oh! Il a l'air très mé… mé… méchant, tu ne trouves pas? bégaye-t-elle, en examinant la photo de l'homme.

—Il doit peser environ trois cents livres, en plus! ajoute 6-Mon, apeuré. Son nom ne m'inspire pas confiance! SÉKIKI TATAK…

Veuillez prendre place sur le dohyō. Le combat va bientôt commencer.

—C'est toi qui y va ? propose 6-Mon à son amie.

—Ça ne va pas ? réplique Ad-èLe, en secouant la tête. Il n'est pas question que je me fasse écrabouiller dès

45

GAME OVER

le premier niveau.
Vas-y, toi! De toute façon,
c'est toi le pro du sumo.

—Pro? Mais **NON!**
J'en ai déjà entendu parler,
mais je suis loin d'être
PRO!

Ad-èLe fait les gros yeux
à son ami, qui comprend
très bien ce que ça veut
dire.

OK... J'y vais...

6-Mon rassemble son
courage et grimpe le petit
escalier qui lui permet
de monter sur le dohyō.
Après tout, il est dans
un jeu vidéo... Il ne peut
rien lui arriver de mal,
non ? Non ? Il n'est plus
sûr de rien, tout à coup.

47

GAME OVER

Dès qu'il pose le pied
sur le sol en argile,
SÉKIKI TATAK apparaît
devant lui. Oh! Il est
vraiment très très grand,
et très très **GROS**, et très
très... presque tout nu!?
Hein?

Il ne porte qu'un bout
de tissu qui ressemble à
une couche pour bébés...
mais en format **GÉANT**.

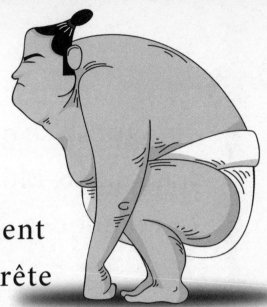

Au moment
où il s'apprête
à saluer son adversaire,
6-Mon entend un petit
rire derrière son dos.

Il se retourne. Ad-èLe
est pliée en deux et
le pointe du doigt.

49

—Qu'est-ce qu'il y a? demande 6-Mon, vexé. Tu te moques de moi?

—Non… Hi! Hi! Hi! Ben… **OUI**, peut-être un peu… Hi! Hi! Hi! Tu ne t'es pas vu!

6-Mon baisse la tête et comprend pourquoi son amie ne peut s'empêcher de rire.

Le jeu l'a transformé et lui a donné l'apparence d'un lutteur sumo, à lui aussi! Il est maintenant aussi grand que **SÉKIKI TATAK**, aussi **GROS**...

... et presque tout nu!

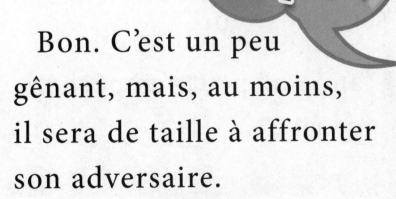

Bon. C'est un peu gênant, mais, au moins, il sera de taille à affronter son adversaire.

— À nous deux!
annonce-t-il, un peu plus
confiant. J'ai bien hâte
de voir qui va remporter
la bataille.

Comme s'il avait attendu
ce moment pour se mettre
en position, **SÉKIKI TATAK**
frappe le sol avec
ses pieds. Fort...

TRÈS FORT!

6- Mon l'imite.

BANG!
BANG!
BANG!

Puis, les deux lutteurs s'accroupissent, posent les poings à terre et s'élancent l'un vers l'autre. Le premier contact est si violent que 6-Mon recule de plusieurs pas.

—Attention! l'avertit Ad-èLe. Tes pieds ne doivent pas sortir du cercle qui est tracé sur le dohyō, sinon tu auras perdu. Tu ne dois pas non

plus tomber, sinon
tu auras perdu. Et il ne
faut surtout pas que
tu touches le sol avec
autre chose que tes pieds,
sinon...

— J'aurai perdu, j'ai
compris! la coupe 6-Mon.
Maintenant, laisse-moi me
concentrer !

Les deux lutteurs se font
face et tournent en rond,

sans jamais se quitter des yeux. Dans la salle, les spectateurs en kimonos les encouragent en applaudissant et en criant des phrases incompréhensibles.

ボン寿司

グロは敷設しました

GAME OVER

6-Mon agrippe les épaules de **SÉKIKI TATAK** et tente de le projeter au sol, mais celui-ci ne se laisse pas faire et relève les bras d'un coup sec pour se libérer. La foule applaudit.

ブラボーチャンピオン

6-Mon aimerait bien répliquer avec une attaque, mais ses forces

58

l'abandonnent… Il se sent
de plus en plus faible…

—Tu dois m'aider,
Ad-èLe! J'ai besoin
d'énergie, sinon je vais
perdre le combat.

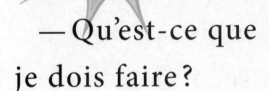

—Qu'est-ce que
je dois faire?

—Aucune idée! Trouve
une solution. **VITE!**

Ad-èLe tourne sur elle-même à la recherche d'un indice. Un peu plus loin, elle aperçoit un chef cuisinier affairé au-dessus d'une petite table. Ses mains travaillent si vite qu'Ad-èLe ne parvient pas à voir ce qu'il fait. Puis, au bout de quelques secondes, le chef lève le bras et lance un sushi... qui vole... vole... vole...

et atterrit directement
dans la bouche de **SÉKIKI
TATAK**.

—Ha! C'est ça
la solution! Je dois
nourrir 6-Mon!

Ad-èLe se dirige
vers la table remplie
d'ingrédients. Il y a
du poisson, du riz,
des algues, des légumes,
et même du caviar.

GAME OVER

Elle prend une boule de
riz avec les doigts et essaie
de l'étendre sur une feuille
d'algue.

—Voyons! C'est tout
collant, ce truc! J'en ai
plein les doigts!

Puis, elle s'empare
de bâtonnets de légumes,
les dépose sur le riz et
y ajoute du poisson.

—Il ne reste plus qu'à
rouler le tout, annonce-
t-elle en plissant les yeux
pour mieux se concentrer.

—Dépêche-toi! hurle
6-Mon, tandis qu'il essaie
de tenir son adversaire
à distance.

Ad-èLe fait ce qu'elle
peut, mais c'est un vrai
désastre! C'est loin d'être
facile à cuisiner, des sushis!

Il y a du riz **PARTOUT**
sur la table, le poisson
DÉBORDE et le rouleau
de sushi ressemble plus à
un tas de **VOMI** qu'à un
truc comestible. Tant pis!

Ad-èLe lance le rouleau
en direction de son ami.
Celui-ci ouvre la bouche,
mais la moitié du sushi se

perd en cours de route.
6-Mon ne retrouve donc que
la moitié de son énergie.

—Prépares-en un autre!
ordonne-t-il, le visage
couvert de sueur. Sinon,
SÉKIKI TATAK ne fera
qu'une bouchée de moi!

— Je vais essayer!

Ad-èLe se remet vite
au travail en essayant par

65

tous les moyens de nuire
au chef à côté d'elle.
Elle lui donne des coups
de coude, lui vole
ses ingrédients et le
fait tomber avec
un croche-pied.

Hé!
Hé!
Hé!

Pendant
ce temps,
6-Mon lutte de toutes
ses forces pour ne pas
perdre son combat.

Il pousse…

Aarrrggghhh!

Il tire… **Iiiiish!**

Et il se déplace aussi vite que possible pour essayer de déjouer **SÉKIKI TATAK**.

—Tiens! Je cois que celui-ci est mieux réussi! déclare enfin Ad-èLe, en lui lançant un autre sushi.

Cette fois, il est parfait. 6-Mon l'avale d'un trait et son énergie grimpe en flèche. Il tourne sur lui-même pour esquiver une attaque de **SÉKIKI TATAK**, serre les dents et pousse son adversaire tellement fort que celui-ci perd l'équilibre et pose le pied en-dehors du cercle de combat.

L'annonceur s'empare
du micro et lève le bras
de 6-Mon bien haut dans
les airs.

SÉKIKI TATAK
est éliminé!
6-Mon est déclaré
grand vainqueur!

Trop contente, Ad-èLe
grimpe sur le dohyō et
saute dans les bras de
son ami.

69

— **BRAVO!** Tu as réussi!

—Nous avons réussi tous les deux! corrige 6-Mon. Je n'y serais pas arrivé sans tes sushis.

—Il en reste quelques-uns, en veux-tu?

—Non merci! Pour être honnête, je **DÉTESTE** les sushis!

YARK! DÉGUEU!

NIVEAU RÉUSSI!

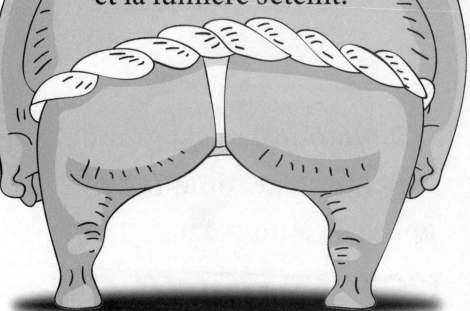

Les applaudissements disparaissent et la lumière s'éteint.

71

LE MONDE

De retour dans la grande salle, la carte du monde apparaît à nouveau.

TOP ZONE 2.0

**Félicitations !
Vous avez neutralisé
la première météorite.**

—**GÉNIAL !** s'écrie
6-Mon, avec enthousiasme.
On est super bons !
On est plus fort que les
météorites ! On va sauver
le monde, toi et moi !
On va être des héros !

—Sur quel continent
veux-tu aller, maintenant,
mon petit héros? demande
Ad-èLe, tout aussi
heureuse.

—Hum... Laisse-moi y
penser..., hésite 6-Mon,
en inspectant la carte.
Il y a tant d'endroit dans
le monde que j'aimerais
découvrir.

Maintenant qu'ils ont réussi l'épreuve du Japon, toute l'Asie est plongée dans le noir. Ils ne peuvent plus y retourner.

— Que dirais-tu de faire un tour en Océanie? propose Ad-èLe.

—Qu'est-ce
que c'est, l'Océanie

—C'est le continent
qui englobe l'Australie
et toutes les petites îles
autour. J'ai toujours rêvé
de caresser des koalas.

—**OUI!** C'est une
excellente idée! approuve
6-Mon. Allons-y!

Le jeune garçon appuie sur l'Océanie, mais rien ne se passe.

—Pourquoi ça ne marche pas? s'impatiente-t-il.

Ad-èLe plisse les yeux et comprend que la carte est différente. Il manque quelque chose, mais quoi?

Les deux amis lèvent la tête et remarquent quatre

taches sombres qui
flottent dans le ciel.

—Regarde! Ce sont les
océans, annonce-t-elle en
étirant la main. On doit
les replacer sur la carte.

—Ti-babouette! Ça va
être très difficile, non?
se décourage 6-Mon.
Comment faire la
différence entre une

flaque d'eau et une autre flaque d'eau?

— Ce n'est pas si compliqué, lui explique Ad-èLe. On va y aller par élimination. Tu vois, celui-ci, c'est l'océan Atlantique. On le connaît bien, il va juste là, à l'est du Canada.

Ad-èLe a vu juste. L'étendue d'eau prend sa place sur la carte, et remercie les aventuriers en levant le pouce.

—TROP COOL !

s'exclame 6-Mon. À mon tour, maintenant !

Il lève un bras et attrape l'océan Arctique.

— **BRRR!** Il est complètement gelé, celui-là ! Je vais le placer tout au nord, avec les glaciers.

Hop ! L'océan Arctique s'y installe en soufflant un air glacé sur les deux aventuriers.

FRRRRR!

Ad-èLe étire le bras à son tour.

81

—Hum… L'océan Indien…, déclare-t-elle, en l'observant d'un air hésitant. Je ne le connais pas beaucoup, celui-là.

—Moi non plus, avoue 6-Mon. Mais il ne reste que deux places, alors ça ne devrait pas être trop difficile.

6-Mon s'empare de l'océan Pacifique, l'insère

à sa place, bien coincé entre les Amériques et l'Asie, et pointe la place restante à son amie pour qu'elle y insère l'océan Indien.

TOP ZONE 2.0

Bravo ! Vous êtes prêts à continuer !

— Tu veux toujours visiter l'Australie ? demande 6-Mon.

—Oh que oui!

Il pose un doigt sur l'Australie et cette fois-ci, une puissante lumière les enveloppe jusqu'à ce qu'ils ne puissent plus garder les yeux ouverts.

DEUXIÈME ESCALE

L'AUSTRALIE

À la recherche des bébés kangourous

85

En ouvrant les yeux, 6-Mon et Ad-èLe émettent un petit cri.

— **Hiii!!** Tu es un kangourou! s'étonne 6-Mon, en pointant son amie du doigt.

— Toi aussi! réplique Ad-èLe, avec surprise.

En effet, les aventuriers ont maintenant de grandes

oreilles, d'énormes pattes de derrière et un corps tout poilu.

89

— Tu crois qu'on peut **BONDIR?** demande 6-Mon, curieux.

— Peut-être.

6-Mon fléchit les pattes de derrière et saute haut... très haut...

Puis il redescend sur
la terre ferme.

— Ça, c'était **TROP** génial!

— Oui, j'imagine,
intervient Ad-èLe.
Maintenant, il faut penser
à notre mission. Je suis
inquiète. Je dois retrouver
mon bébé.

91

—C'est vrai, approuve 6-Mon, en retrouvant son calme. Moi aussi, mon bébé m'attend.

Ad-èLe fronce les sourcils.

—Ton bébé? répète-t-elle. Ne me dis pas que tu es une **FEMELLE?**

—Euh…, hésite 6-Mon.
Je ne sais pas trop.
Attends…

Il baisse la tête et
inspecte son ventre.
Eh oui! Il a bel et bien
une poche sur le devant,
comme toutes les mamans
kangourous.

—**OUAIP!** On dirait
bien que je suis une
femelle. Et je t'interdis de

93

rigoler ! Il n'y a rien de drôle là-dedans !

— Bien sûr que non, réplique Ad-èLe, en se tordant de rire. Allez, viens, **MADEMOISELLE** kangourou ! Cherchons nos bébés !

Ha ! Ha ! Très drôle !

94

Les deux
aventuriers-kangourous-
femelles gambadent
dans la prairie à la
recherche de leurs petits.
Malheureusement, ils ne
les trouvent nulle part.
Ils rencontrent
des autruches,
des ornithorynques,
et toutes sortes d'animaux
qu'ils ne connaissent
pas, mais aucun signe
de bébés kangourous.

Puis, au bout d'un moment, ils approchent d'une ville remplie de gros édifices, de routes et de magasins.

— Regarde! Ils ont traversé la rue! remarque 6-Mon, en pointant droit devant.

En effet, les deux amis aperçoivent leurs bébés qui les attendent,

de l'autre côté d'une
immense autoroute.
Le problème, c'est qu'il y
a beaucoup de
circulation.

Des voitures, des
camions et des autobus y
circulent à vive allure.

—On doit y aller!
déclare 6-Mon, prêt
à bondir.

—Attends! l'intercepte
Ad-èLe. On doit être
prudents, sinon on va
se faire frapper!

Trop tard! 6-Mon
s'est déjà élancé.
Dès le premier
bond...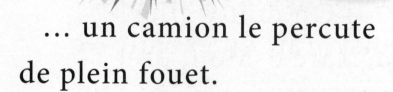

... un camion le percute
de plein fouet.

—Oh **NON!** gémit Ad-èLe, dans tous ses états. Ce n'est pas vrai! 6-Mon! Pourquoi as-tu fait ça?

ZOUUUUP! Me revoilà!

Mais la jeune fille s'en fait pour rien. Le kangourou écrasé disparaît du chemin et réapparaît à côté d'elle.

—**YO!** Ça va? lance 6-Mon, comme si de rien n'était.

—Tu es là! Est-ce que tu vas bien? demande Ad-èLe, folle d'inquiétude.

—**TELLEMENT!** Je peux me faire frapper et revenir à la vie sans problème! C'est génial!

6-Mon fonce encore une fois en direction de la rue sans prendre la peine de regarder et...

HOP! SPOUITCHE!

... un autobus l'écrabouille sur l'asphalte. Quelques secondes plus tard, 6-Mon se matérialise à nouveau près de son amie.

—As-tu fini de faire
le clown? le réprimande-
t-elle.

—Quoi? C'est super
drôle! Attends,
je recommence!

Cette fois-ci, Ad-èLe
le retient avant qu'il ait
le temps de s'élancer.

—Arrête un peu, veux-
tu! On a une mission à

accomplir. Ce n'est pas en faisant n'importe quoi qu'on va y arriver.

—Je ne fais pas n'importe quoi, je m'amuse !

Ad-èLe lui lance un regard si vilain que 6-Mon fige sur place.

—Bon… OK… On va le faire à ta façon, si c'est ce

que tu veux. Qu'est-ce que tu proposes?

La maman kangourou pose une patte sur son museau pour réfléchir.

—Hum... On doit travailler de façon méthodique. Voilà ce qu'on va faire: on va se placer au bord de la route pour observer, analyser et interpréter la circulation.

Ensuite, quand le moment sera parfait, on sautera en même temps. Tu vois? Ce n'est pas si compliqué.

6-Mon roule les yeux.

— Ti-babouette! Ce n'est même pas drôle, ton idée!

— Non, mais je suis convaincue que ça va marcher!

Les deux aventuriers
s'installent sur un petit
trottoir et attendent.

Une voiture passe…

VROUUUM!

Une autre…

VROUUUM!

—OK! Allons-y!

Les deux kangourous sautent en même temps...

... et se retrouvent sur la voie suivante.

— Yé! Ça marche! Tu vois, c'est facile, on n'a qu'à...

BANG!

C'est au tour d'Ad-èLe de
se faire renverser.

—Zut! grommelle-t-elle,
une fois revenue au point
de départ. Cette route est
vraiment très difficile à
franchir.

Elle jette un coup d'œil
à 6-Mon, qui continue
à bondir, et lui demande:

—Comment y arrives-tu?

Mais 6-Mon ne l'entend plus. Il est trop loin.

BIBIP! BIBIP!

Qu'est-ce que c'est? se demande Ad-èLe. Ce son semble provenir de sa poche ventrale. Elle jette un coup d'œil à l'intérieur. Quoi? Un iPod? Qu'est-ce qu'un kangourou fait avec un iPod?

Tu jiens? Ve suis déjà renbu à la moytié du shenin.

6-Mon

Qu'est-ce qui lui prend, à 6-Mon? Il ne sait plus écrire correctement?

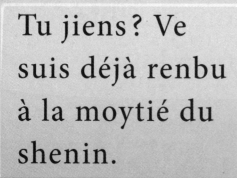

Ad-èLe

Qyoi?

110

Ad-èLe comprend mieux, maintenant. Les touches sont très difficiles à atteindre avec des pattes de kangourou !

Annez !
Tu regarbes et
tu saoutes !
C'est fout !

6-Mon

Ad-èLe

C'est fou ?

Nom! C'est touf!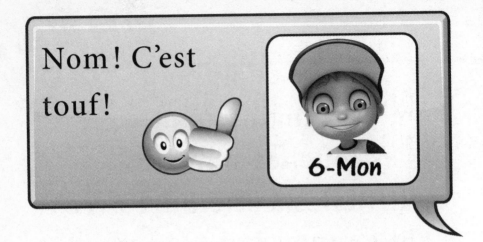

6-Mon

— *My god !* C'est vraiment trop compliqué, comme conversation! marmonne Ad-èLe, découragée.

Ve suis preskue arrimé! Je bois nos bédés! Ils nous altendent!

6-Mon

Ad-èLe cligne des yeux
plusieurs fois. Rien à faire!
Elle ne comprend pas
le message de son ami.
Elle range son iPod pour
mieux se concentrer
sur sa traversée.

Elle saute une fois
de plus.

Et encore une fois.

—Je n'y arriverai jamais, rouspète-t-elle, toute seule de son côté de la route. Qu'est-ce qui se passera quand 6-Mon aura réussi à traverser? Est-ce qu'il va m'abandonner? Est-ce qu'il va continuer le jeu

sans moi? Je suis en train de tout gâcher! Vraiment, je ne suis bonne à rien!

—As-tu fini de te plaindre?

Ad-èLe sursaute et tourne la tête.

—6-Mon? Qu'est-ce que tu fais là? Je croyais que tu avais réussi à te rendre de l'autre côté.

—J'ai réussi, mais
j'ai fait exprès de me
faire frapper pour venir
te chercher.

— Pour vrai

—Pour vrai! Grimpe sur
mon dos, je vais te faire
traverser.

Ad-èLe s'agrippe du
mieux qu'elle le peut pour
ne pas tomber.

6-Mon est vraiment très habile à ce jeu. Il saute derrière une voiture. **HOP!** Évite un autobus de justesse. **HOP!** Revient sur ses pas pour se sauver d'un véhicule de police. **HOP!** Et saute trois fois...

HOP! HOP! HOP!

... pour enfin rejoindre la terre ferme. Mais ce n'est pas tout! Les voilà en face d'une rivière, maintenant!

6-Mon se faufile sur la tête d'un crocodile...

ZOUP!

... fait trois bonds vers la droite...

... évite une grenouille à grande langue...

... saute sur un canot rempli d'araignées poilues...

... écrase un poisson menaçant.

Pour terminer, il bondit
sur un paquebot géant,
fais trois fois le tour de
la cheminée pour faire rire
son amie et atterrit sur
la terre ferme.

—  Tu es vraiment
très doué à ce jeu, 6-Mon!
Je n'y serais jamais
parvenue sans toi. Merci!

— Bah! Ce n'est rien,
voyons! répond-il, en

haussant les épaules. Tu n'auras qu'à me sauver la vie à un autre niveau.

— Pas de problème! répond Ad-èLe, en lui donnant un petit coup de coude complice.

Les deux aventuriers se retournent vers leurs bébés kangourous, qui se glissent immédiatement

GAME OVER

dans la poche ventrale
de leur maman.

Une intense lumière les
aveugle et les ramène dans
la grande salle.

122

— C'était vraiment trop **TOP**, tu ne trouves pas ? se réjouit 6-Mon, après avoir retrouvé son apparence normale.

—Bof... Ce n'était pas mon niveau préféré, rouspète Ad-èLe. Je n'étais pas très bonne à ce jeu-là. En plus, je n'ai même pas vu de koalas.

—Ce n'est pas grave.

Il nous reste encore plein de pays à visiter.

Fidèle à son habitude, la carte du monde apparaît devant eux.

TOP ZONE 2.0

**Félicitations !
Vous avez neutralisé
la deuxième météorite.**

Les deux amis observent la carte. Seulement cinq continents sont allumés. L'Asie et l'Océanie demeurent éteintes.

— Où aimerais-tu aller? demande Ad-èLe à 6-Mon.

— Hum… Que dirais-tu de ce pays-là ? propose-t-il, en pointant une

GAME OVER

parcelle de
terre en
forme de botte.
C'est l'Italie,
je crois.

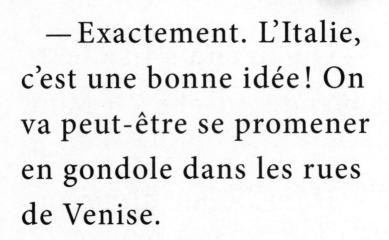

—Exactement. L'Italie,
c'est une bonne idée! On
va peut-être se promener
en gondole dans les rues
de Venise.

—Ou assister à une
partie de foot! dit 6-Mon,
plein d'espoir.

Comme à l'habitude,
la carte insiste pour tester
leurs connaissances.

**Nommez un met
typiquement italien.**

— Oh! C'est facile!
déclare aussitôt 6-Mon.
Mon restaurant préféré
est italien. On y mange
de la très bonne pizza et
mon dessert préféré est
le tiramisu.

127

Bravo!
Vous êtes prêts
à continuer!

6-Mon appuie sur
le pays en forme de botte
et un nuage vert
les enveloppe
instantanément.

TROISIÈME ESCALE

Attenzione al vulcano!

L'ITALIE

— 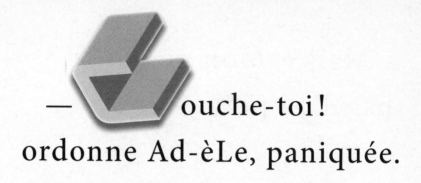ouche-toi! ordonne Ad-èLe, paniquée.

La jeune fille se laisse tomber au sol et se protège la tête avec les bras.
Le nuage de fumée verte s'évapore peu à peu.

—Dépêche-toi de faire comme moi, insiste-t-elle. Sinon tu vas mourir!

Mais 6-Mon ne bouge
pas d'un poil.

—Debout, petite
peureuse, la taquine-t-il
en la poussant avec
le pied. Il n'y a pas
de danger.

—Pas de danger?
«*Attenzione al vulcano!*»
Tu sais ce que ça veut dire?
ATTENTION AU VOLCAN!

—Tiens, tu comprends l'espagnol, maintenant?

—C'est de l'italien, voyons! On est en **ITALIE!**

—Ah... Oui, c'est logique. De toute façon, tu n'as pas à t'inquiéter. Il y a bien un volcan, là-bas, mais il est aussi calme qu'un gros ours brun qui hiberne pendant la saison froide.

 133

Ad-èLe se relève
doucement et examine
les environs, peu rassurée.
En effet, le volcan semble
éteint.

—Restons tout de même
prudents, se méfie-t-elle.

Le problème avec les ours bruns, c'est qu'ils finissent toujours par se réveiller un jour ou l'autre.

Ensemble, les deux amis se promènent dans le décor du jeu.

 135

GAME OVER

—Il y a une ville, juste là, remarque 6-Mon.

—Oui. Et elle semble très ancienne...

Des rues faites de blocs de pierre, des bâtiments poussiéreux, des colonnes et des statues, tout ça leur semble sorti d'une toute autre époque... Puis, ils remarquent un écriteau.

Ce nom rappelle quelque chose à Ad-èLe.

—Pompéi…, murmure-t-elle. Nous sommes à **POMPÉI**…

—Euh… Oui, c'est ce qui est écrit, et alors?

GAME OVER

Ad-èLe plonge le regard dans celui de son ami.

—Souviens-toi du film que nous avons vu en classe, explique-t-elle. Il parlait de la ville de Pompéi.

BROOOUUUUUUUUM!

6-Mon ouvre grand la bouche. Il n'arrive pas à y croire!

—Oh! Tu veux dire
que ce volcan, ce serait…
ce serait…

—Le Vésuve!

EXACTEMENT! confirme
Ad-èLe. Et si on ne fait
rien, il va entrer en
éruption et détruire
la ville ainsi que tous
ses habitants.

—C'est terrible! Qu'est-ce qu'on doit faire? On ne peut quand même pas empêcher un volcan d'entrer en éruption!

—Non, mais on peut essayer de protéger la ville!

Au même instant, une dizaine d'hommes apparaissent à côté de 6-Mon et Ad-èLe. Ils sont **GRANDS**, ils sont **FORTS**,

et ils sont surtout très
MUSCLÉS.

—**OK!** lance Ad-èLe,
prête à diriger les
opérations. Il faut vite
se mettre au travail.
Comment doit-on s'y
prendre?

Un tableau apparaît avec
des indications. ZiOUP!

TOP ZONE 2.0

4 tailleurs de pierre,
3 transporteurs
3 bâtisseurs

—J'ai compris!
intervient 6-Mon. Ce n'est
pas compliqué. **VOUS!**
ordonne-t-il aux quatre
premiers hommes.
Allez tailler de la pierre.
VOUS! continue-t-il en
s'adressant à trois autres

travailleurs. Tenez-vous prêts à transporter les briques jusqu'à l'entrée de la ville dès qu'elles sont prêtes. Et **VOUS TROIS**, venez de ce côté. Nous allons construire un mur qui va encercler la ville. **Hop!** Au travail!

Les ouvriers obéissent et se mettent à l'œuvre.

Les tailleurs de pierre
s'activent à une vitesse
incroyable.

BANG! BANG! BANG!

Les transporteurs font
des allers-retours sur
des chariots de bois
pour approvisionner
les bâtisseurs.

ARROGH!
PFFFF!
ISSHHHHH!

Les bâtisseurs utilisent des poulies pour empiler les pierres les unes par-dessus les autres.

Lentement mais sûrement, le mur commence à prendre forme.

— **WOW** Elle est efficace, ta méthode de travail, dis donc! lui fait remarquer Ad-èLe.

—C'est parce que je joue souvent à des jeux de construction, explique 6-Mon, plutôt fier de lui. Si on garde le rythme, on devrait bientôt avoir fini.

—Dis-moi, est-ce
que c'est normal que
ton mur **BOUGE** ainsi?

6-Mon se retourne
et constate que, en
effet, le mur se balance
de gauche à droite.

—On dirait que...
On dirait que...

—On dirait qu'il va **S'ÉCROULER!** rugit Ad-èLe. Ne reste pas là!

Elle tire la manche de son ami pour lui éviter de se faire écrabouiller. 6-Mon glisse au sol et se protège du mieux qu'il peut des roches qui tombent de tous les côtés.

—Qu'est-ce qui s'est passé? demande-t-il en se

relevant avec difficulté.
Pourquoi notre mur s'est-
il effondré ?

— Il n'était pas très
solide, répond Ad-èLe.
Laisse-moi voir. Il y a
sûrement un truc qu'on
n'a pas compris.

La jeune fille se penche
et ramasse des débris
de pierre.

—Regarde, il y en a des bleues, des rouges et des jaunes. Je croyais que c'était pour faire joli, mais la couleur a peut-être de l'importance.

—C'est vrai, constate 6-Mon. On dirait que les **JAUNES** sont un peu plus **GROSSES**... Et les rouges sont bien plus petites. Essayons une méthode différente.

6-Mon se tourne vers
les bâtisseurs et ordonne :

—On reprend à
partir du début ! Il faut
commencer avec les
pierres jaunes. Ensuite,
on ajoute les bleues et on
termine avec les rouges.

151

Tout le monde obéit. Les deux aventuriers mettent la main à la pâte pour travailler aussi rapidement que possible. Au bout de plusieurs minutes, alors que le mur est haut et solide, Ad-èLe arrête de bouger et tend l'oreille.

— QUOI?

la questionne 6-Mon. Qu'est-ce qu'il y a?

Au lieu de répondre,
Ad-èLe lui fait signe
de se taire.

—Tu entends quelque
chose? Le volcan se
réveille?

—Je n'en sais rien…,
chuchote la jeune fille.

—Ti-babouette! Oui! C'est bien ça! Le volcan se **RÉVEILLE!**

—Vite! Le mur doit entourer toute la ville!

Les travailleurs s'activent encore plus rapidement.

HOP! Une pierre. **HOP!** Encore une autre!

BRRROUUUMMM!
BE-BRRROUUUMMM!

—Je n'aime **PAS** ça! crie Ad-èLe. Je n'aime **PAS** ça du tout!

—Moi non plus!

—Oh! **ATTENTION!** Le volcan nous attaque!

Les deux amis lèvent
les yeux vers le ciel.
De grosses boules roses
sont propulsées à
l'extérieur du Vésuve et se
fracassent contre le mur.

—Qu'est-ce que c'est?
demande 6-Mon. Ce n'est
pas de la lave!

—Non... On dirait...

Une boule rose passe par-dessus le mur et s'écrase en plein dans le visage d'Ad-èLe, qui sort la langue.

157

—Miam! C'est de
la **GOMME BALLOUNE!**

—Ben voyons!
Les volcans ne crachent
pas de la gomme balloune!

—Dans la vraie vie, non.
Mais dans les jeux vidéo,
pourquoi pas?

Ad-èLe s'essuie du mieux
qu'elle le peut, mais la
gomme lui colle partout

dans le visage,
dans les cheveux et
même dans
les oreilles !

**ZZZiooooUUU!
PFiiiouu!**

Cette fois-ci, ce sont
des **CONFETTIS** qui sont
propulsés à l'extérieur
du Vésuve. Des milliers
et des milliers de petits
confettis en forme de cœur,
de fleurs et de ballons.

—Ben là! lâche 6-Mon. Sans blague! Ce n'est pas très dangereux!

—Non..., articule difficilement Ad-èLe, mais ce n'est pas très pratique non plus.

6-Mon éclate de **RIRE** Son amie est trop drôle. Les confettis se sont collés sur la gomme balloune, alors elle en a partout!

—Tu as l'air d'un **GÂTEAU DE FÊTE!** rigole 6-Mon.

6-Mon reçoit un bouquet de fleurs derrière la tête.

—Aïïïe! Ça fait mal!

—Et toi, tu as l'air d'un **JARDIN DE TULIPES!** réplique Ad-èLe, en pointant son ami du doigt.

—**OK!** Assez rigolé !

On doit protéger la ville !

 163

Une autre gomme balloune percute le mur, mais celui-ci tient bon. Puis, après un instant de silence, l'explosion finale se déclenche dans un vacarme assourdissant.

Tout le monde À L'ABRI!

Les habitants de la ville courent dans tous les sens et se réfugient dans leurs maisons. Pendant ce temps, le Vésuve crache une lave épaisse et... beige?

—Qu'est-ce que c'est? s'inquiète Ad-èLe.

165

— Aucune idée! crie
6-Mon, pour couvrir
le bruit de l'explosion.
Ce n'est pas de la lave
normale, ça, c'est certain!

L'étrange substance
coule le long du volcan
et s'approche de la ville.
Tout ce qui se trouve
sur son passage est
automatiquement **FIGÉ**
à l'intérieur: les arbres,
les plantes, et même
un petit oiseau.

—On dirait du caramel!

—Oui! C'est ça!
Du **CARAMEL!** Si le mur
n'est pas assez solide,
il va se répandre dans
toute la ville et elle
demeurera figée à
tout jamais!

Oh! Regarde!
Il approche!

ZUT !

6-Mon et Ad-èLe se tiennent la main et espèrent de tout cœur que leur construction sera assez résistante pour faire dévier le caramel de chaque côté de Pompéi. Une fois arrivé au mur, il **MONTE**, **MONTE** et **MONTE** encore... et se solidifie sur place.

Les deux amis se regardent, étonnés.

—**HOURRA!** On a réussi!

—Yé! On a sauvé la ville!

—Oh! Regarde!
Le Vésuve n'est pas content!

En effet, il est si furieux qu'il décide de cracher des milliers de **POMMES**, d'**ORANGES** et

169

de **BANANES**, qui
tombent directement
dans le caramel. Ce que
le volcan ne sait pas,
c'est que des fruits
trempés dans le caramel,
c'est tout à fait délicieux!

Tous les enfants de
la ville sortent de leurs
maisons et viennent
déguster leur collation
sucrée. Miam!

TOP ZONE 2.0

Niveau réussi!

Un nuage vert entoure
les deux aventuriers et
les emmène loin de là.

LE MONDE

— MIAAAAM!

C'était bon, ça, tu ne trouves pas? dit 6-Mon, en se léchant les doigts.

— Tellement!

— On l'a échappé belle, en tout cas! Bon, voyons où nous en sommes.

La carte s'illumine:

TOP ZONE 2.0

Félicitations !
Vous avez neutralisé
la troisième météorite.

—Yé ! Déjà trois !
se réjouit Ad-èLe.

—Oui, il n'en reste plus
que quatre ! On va bientôt
réussir à sauver le monde !

On dit que les habitants de la France sont des Français, que ceux du Mexique sont des Mexicains et que ceux de la Chine sont des Chinois. Comment appelle-t-on les gens qui vivent aux États-Unis?

— Facile ! lance 6-Mon, sûr de lui. Les États-Unissiens !

— Mais non, voyons, le reprend Ad-èLe. Ça ne se dit pas, États-Unissiens !

— États-Unieux, alors ?

— Tu es à côté de la plaque !

— États-Unois ?

—Non, hi! hi!

Ce sont des Américains.

Tout simplement.

—Ah… Oui, c'est vrai.

TOP ZONE 2.0

Bravo! Vous êtes
prêts à continuer!

Un tourbillon
multicolore enveloppe

les deux amis et
les entraîne à l'extérieur
de la pièce.

QUATRIÈME ESCALE

LES ÉTATS-UNIS

Un bandit, deux taxis et plein de bigoudis!

 179

ès que le tourbillon s'évapore, les aventuriers se retrouvent sur un trottoir bondé de monde. Des voitures passent à toute allure dans la rue devant eux, des piétons circulent sans les regarder et des bruits de moteurs, de klaxons et de téléphones cellulaires leur cassent les oreilles.

Puis, un message s'adresse à eux.

182

Bienvenue dans la belle grande ville de New York. La police a besoin de vous. Billy le bandit à bigoudis a cambriolé une bijouterie et essaie de s'enfuir avec son butin. À vous de jouer, petits aventuriers ! Montez à bord d'un taxi et essayez de l'attraper avant qu'il franchisse les limites de la ville.

—Youppi! J'adore
les courses de voitures!
s'exclame Ad-èLe, déjà
prête à pourchasser Billy
le bandit à bigoudis.

—Qu'est-ce que c'est,
des bigoudis? veut savoir
6-Mon, intrigué. C'est
une arme dangereuse?

—Une arme? rigole son amie. Non! Les bigoudis sont des rouleaux utilisés pour faire friser les cheveux.

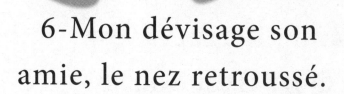

6-Mon dévisage son amie, le nez retroussé.

—Pour vrai? Tu veux dire que notre voleur a les cheveux **FRISÉS?**

—Il essaie, en tout cas.
Bon! Je conduis!

—Non! Attends, j'ai une
meilleure idée, annonce
6-Mon, en observant les
alentours. Et si on prenait
chacun notre propre taxi?

—Oui! C'est bon!
Comme ça, on aura deux
fois plus de chances de
retrouver notre voleur
à temps.

Ad-èLe choisit le taxi qui est stationné devant elle et 6-Mon s'installe à bord de celui qui est juste derrière.

—Génial! se réjouit Ad-èLe. Il y a un tas de gadgets électroniques!

Bip! Ti-Bi-Bip! Ti-Bi-Bip!

Curieuse, Ad-èLe se
demande ce qui produit
ce son étrange. Elle appuie
sur un bouton et SPLOUCHE!

Un tuyau sort du tableau
de bord et lui envoie de
l'eau dans les yeux.

—Hé! Ce n'est pas très gentil, ça! se plaint-elle en s'essuyant avec la manche de son chandail.

BiP! Ti-Bi-BiP! Ti-Bi-BiP!

Le son est toujours présent. Ad-èLe ouvre un compartiment rouge et

PLOUC! PLOUC! PLOUC!

De la nourriture pour chien lui remplit les chaussettes.

— Voyons ! Je ne suis
pas un animal ! Je suis
une fille ! Je n'ai pas
besoin de croquettes qui
sentent le toutou mouillé !

Ad-èLe commence à
s'impatienter.

— Je vais bien finir
par trouver d'où provient
ce son !

Elle appuie sur trois
boutons en même temps.

PIT! PAT! POUET!

Une lumière l'aveugle,
une tapette à mouche
lui claque le visage et
des écouteurs atterrissent
sur ses oreilles.

Hé! Tu es là,
Ad-èLe?

6-Mon

191

6-Mon ?
C'est bien toi ?

Ad-èLe

Sur le tableau de bord,
le visage de 6-Mon apparaît.
C'est parfait ! Ils vont
pouvoir communiquer
pendant leur chasse
au voleur.

Je suis prêt à
partir !

6-Mon

Je suis prête, moi aussi!
D'après ce que je vois sur
mon tableau,
Billy le bandit
à bigoudis est
parti vers
le sud.

Ad-èLe

Essayons de prendre des
chemins différents. Ça va
augmenter nos
chances de
le coincer.

6-Mon

Bonne idée !
Je passe
par l'est.

Ad-èLe

OK. Et moi, je
tourne à droite !

6-Mon

Euh... l'est et
la droite, c'est la
MÊME CHOSE !

Ad-èLe

Pas du tout ! Il faut prendre à GAUCHE pour aller vers l'est !

6-Mon

Mais non ! Regarde la carte, sur ton tableau de bord. Tu es mêlé...

Ad-èLe

Ad-èLe doit l'avouer, son ami n'a vraiment pas le sens de l'orientation.

C'est bon.
Je tourne à
GAUCHE. Je te
fais confiance !

6-Mon

Les deux conducteurs démarrent les moteurs et partent dans des directions opposées. Ad-èLe est très nerveuse. Non seulement elle doit faire attention de ne pas causer d'accident ni d'écraser un piéton,

mais en plus elle doit suivre les indications du tableau de bord qui lui crie par la tête.

Accélérez!
Ralentissez!
Tournez à droite!
Faites demi-tour!
Stop!
C'EST UN PASSAGE
PIÉTONNIER!

197

Ad-èLe appuie sur la pédale du frein et regarde une dizaine de marguerites à **GRANDS NEZ** traverser la rue.

—Des marguerites? dit-elle à voix basse. Bizarre...

Une fois les fleurs
disparues, elle accélère et
reprend sa route.

**Attention ! Statue
de la Liberté en vue !
Attention ! Statue
de la Liberté en vue !**

Ad-èLe ouvre grand
les yeux à la recherche de
la fameuse statue. Elle a
toujours rêvé de la voir
en vrai, mais elle pensait

plutôt la trouver sur
une petite île, pas en plein
centre-ville...

**Attention! Statue
de la Liberté en vue!**

— Oui, oui! J'ai compris,
s'impatiente Ad-èLe,
en baissant le volume
du tableau de bord.

Comme
elle s'apprête
à tourner
à gauche, un gigantesque
pied en sandale atterrit
devant son taxi,
créant un vacarme
assourdissant.

BAM!

Ad-èLe freine en catastrophe! La statue est là, devant elle! Elle a failli l'écrabouiller! La rue est toute cabossée, mais au moins Ad-èLe est en vie.

Hé! Je suis perdu, ti-babouette! Il faut que tu m'aides!

6-Mon

Où es-tu ?

Ad-èLe

Mon tableau de bord indique que je suis dans une ville qui s'appelle Toronto.

6-Mon

Quoi? Tu es au CANADA?
Qu'est-ce que tu fais
au Canada?
Reviens sur
tes pas!

Ad-èLe

OK.
Je vais essayer!

6-Mon

Ad-èLe se penche pour examiner le tableau de plus près dans l'espoir de retrouver 6-Mon sur son écran, mais une grosse **TARTE** aux fruits atterrit sur son pare-brise. Des cerises, des fraises et des framboises dégoulinent un peu partout.

— Vous n'êtes pas gênée, madame la statue de la Liberté! gronde Ad-èLe, en sortant la tête par la fenêtre. Lancer des tartes aux gens! Franchement!

Elle contourne les grands pieds de la statue et reprend sa route en faisant aller ses essuie-glaces. Au bout de quelques minutes, Ad-èLe se retrouve dans une rue sans issue.

Aussitôt, une bande de voyous encerclent son taxi et commencent à faire des **GRAFFITIS** sur la voiture.

6-Mon !
J'ai peur !
Je suis encerclée !

Ad-èLe

Je ne peux pas te parler !
Je suis encerclé, moi aussi !

6-Mon

Par des voyous ?

Ad-èLe

Non, par des cactus géants !

6-Mon

Des quoi ?

Ad-èLe

Des cactus!

6-Mon

6-Mon!
Où es-tu?

Ad-èLe

Je suis au
Mexique!

6-Mon

Ad-èLe secoue la tête
dans tous les sens.
Décidément, elle ne peut
pas compter sur son ami
pour retrouver Billy le
bandit à bigoudis.

Elle active deux ou trois
boutons de son tableau
de bord pour chasser
les voyous à grands coups
de marteau en plastique et
appuie sur l'accélérateur,
bien décidée à finir ce
niveau au plus vite.

À droite!
Elle évite une rangée
de vélos.

À gauche!

Elle saute
par-dessus un autobus.

211

Finalement, elle aperçoit
le petit point clignotant
qui indique que Billy le
bandit à bigoudis est juste
devant elle, à quelques
mètres seulement.

—Je le vois! soupire
Ad-èLe, fière de ce qu'elle
a réussi à accomplir.

Le voleur roule sur une
moto qui zigzague entre
les voitures. Ad-èLe

tourne une manivelle
sur laquelle est écrit :

Aussitôt, un aimant
apparaît sur le devant du
taxi et tous les bigoudis
quittent les cheveux frisés
de Billy le bandit qui se
retrouve maintenant
sans bigoudis.

 213

214

—Hé! Vous n'avez pas le droit! hurle-t-il, en se retournant vers la jeune fille. Ce sont **MES** bigoudis! Regardez de quoi j'ai l'air, maintenant!

Loin d'être impressionnée, Ad-èLe sort de sa voiture, pose les poings sur les hanches et ordonne:

—Rendez-moi les **BIJOUX** et je vous rends vos **BIGOUDIS**.

Billy le bandit sans bigoudis hésite un moment et accepte d'un hochement de tête. Il lance le sac rempli de bijoux et Ad-èLe lui rend ses rouleaux. Furieux, le voleur remonte sur sa moto, fait demi-tour et disparaît de sa vue.

6-Mon! J'ai réussi! J'ai fini le niveau!

Ad-èLe

Bravo! Maintenant, essaie de trouver un moyen de me sortir de là!

6-Mon

Où es-tu, cette fois?

Ad-èLe

GAME OVER

Je suis coincé au pied de
la tour Eiffel ! Il y a des
centaines de
touristes, ici.
Je ne peux plus
bouger !

6-Mon

Tu es en FRANCE ?
Tu ne peux pas te rendre
en France en
voiture,
voyons !

Ad-èLe

On dirait bien que oui!

6-Mon

Ad-èLe rigole un bon coup. Elle remet le sac de bijoux aux policiers de la ville de New York et un message apparaît.

TOP ZONE 2.0

Niveau réussi!

Le tourbillon multicolore s'enroule autour d'elle. Si tout va bien, 6-Mon la rejoindra dès qu'elle se trouvera en face de la carte géante.

LE MONDE

— Alors, tu as fait un bon voyage? se moque Ad-èLe, dès que 6-Mon se matérialise à ses côtés.

Tu aurais pu aller faire un tour dans l'espace, tant qu'à y être!

—Je n'ai pas fait exprès..., marmonne son ami. Dès que je tournais dans une rue ou que j'appuyais sur un bouton, je me retrouvais à l'autre bout du monde.

—Bah! Ce n'est pas grave. Au moins, on a réussi notre niveau.

—Oui! Cette fois-ci, c'est toi qui as assuré!

Ad-èLe remercie son ami avec un grand sourire et se tourne vers le mur.

—Bon, regardons un peu cette carte…

TOP ZONE 2.Ø

Félicitations!
Vous avez neutralisé
la quatrième météorite.

Les forêts du monde
sont riches en espèces
végétales et animales.
Dans quelle forêt
peut-on retrouver
des singes, des jaguars,
des crocodiles,
des oiseaux tropicaux,
des piranhas
et des anacondas?

 223

Les deux aventuriers frissonnent.

—Je ne suis pas certaine d'avoir envie de répondre à cette question..., marmonne Ad-èLe. Et si on devait affronter des crocodiles et des jaguars?

—Je ne veux pas te décevoir, réplique 6-Mon, mais j'ai bien l'impression que c'est ce qui nous attend.

—Est-ce que tu connais
la réponse?

—Oui. Tous ces animaux
se retrouvent dans la forêt
amazonienne.

—D'accord. Et c'est où,
ça?

—Euh... Aucune idée...

Sur la carte, seulement
trois continents sont

225

encore allumés:
l'Amérique du Sud,
l'Afrique et l'Antarctique.

—Ce n'est pas en
Antarctique, c'est certain,
mentionne 6-Mon, sûr de
lui. Il fait beaucoup trop
froid, là-bas.

—D'accord. Alors, est-ce
que l'Amazonie est en
Afrique ou en Amérique
du Sud? le questionne
Ad-èLe, incertaine.

—Je crois que… Je crois que c'est en Afrique, tente 6-Mon.

—En es-tu certain?

6-Mon hésite. Il ne veut surtout pas se tromper. En Afrique, il y a des girafes, des hyènes, des lions, des antilopes, des rhinocéros…

227

— **NON!!** La forêt amazonienne est en Amérique du Sud, je m'en souviens, maintenant ! Mes parents ont écouté un reportage sur le Brésil, l'autre jour.

TOP ZONE 2.0

Bravo ! Vous êtes prêts à continuer !

6-Mon appuie sur
l'Amérique du Sud et
un souffle très puissant
les pousse à l'extérieur
de la pièce.

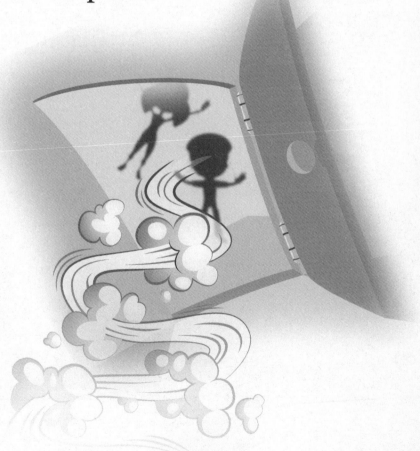

229

GAME OVER

CINQUIÈME ESCALE

UN PEU TROP DANGEREUX, LES ANIMAUX D'AMAZONIE!

LE BRÉSIL

231

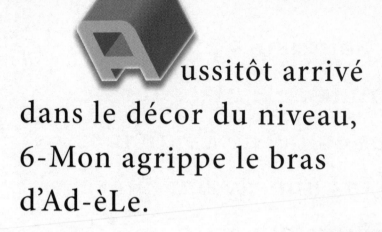ussitôt arrivé dans le décor du niveau, 6-Mon agrippe le bras d'Ad-èLe.

— Ti-babouette! On est vraiment haut dans les airs, non?

— Oh là là! Ne bouge surtout pas!

Les deux amis sont au cœur de la forêt.

233

Sous leurs pieds, une minuscule plate-forme les empêche de tomber dans une rivière qui se trouve plusieurs mètres plus bas. Ils s'accrochent désespérément l'un à l'autre et essaient de comprendre l'objectif du niveau.

—Regarde! Il y a un pont, annonce 6-Mon en pointant devant eux.

234

—C'est un pont, ça? marmonne Ad-èLe. Moi, je ne vois que des cordes usées et des planches de bois moisies.

235

—On doit y aller.

—Est-ce qu'on est vraiment obligés? Parce que moi, je suis très bien, ici!

—Oui, regarde.

TOP ZONE 2.0

Traversez le pont.

—On n'y arrivera jamais !
s'exclame Ad-èLe, les yeux
ronds. Ce truc est à moitié
détruit. Il a l'air aussi
vieux que le dentier de
mon grand-père. On va
mourir, c'est certain !

Les deux amis prennent
un moment pour trouver
la meilleure stratégie.

—On pourrait descendre,
propose Ad-èLe. Qu'est-ce

GAME OVER

qui nous empêche de
traverser cette rivière
à la nage?

—Ceci! dit 6-Mon en
pointant un crocodile, un
peu plus bas. Et peut-être
aussi cela, ajoute-t-il
en désignant une dizaine
de piranhas sautillants.

—Euh... **OK.** On ferait
mieux d'emprunter
le pont, alors.

Ad-èLe avance
doucement et pose
un pied sur la première
planche de bois.

CRiiiiic!

—Hum… Elle ne semble pas très solide. Je n'aurais pas dû manger trois bols de gruau, ce matin, j'aurais été plus légère…

Ad-èLe avance sur la deuxième planche et 6-Mon la suit par-derrière.

CRiiiiic!

Le pont est si abîmé qu'il peut céder...

À TOUT MOMENT!

—On devrait y aller chacun notre tour, propose Ad-èLe.

—Je ne veux pas qu'on se sépare.

GAME OVER

—Moi non plus, mais ça risque de s'écrouler si on y va en même temps.

6-Mon finit par accepter. Il recule et retourne sur la plate-forme tandis qu'Ad-èLe avance prudemment.

—Accroche-toi bien! l'encourage-t-il. Tiens les cordes!

— Attention! Il manque des planches!

En effet, Ad-èLe ne peut plus avancer. La planche suivante est si loin qu'elle ne parvient pas à l'atteindre, même en sautant.

—Je suis coincée…

Aussitôt, un tableau apparaît devant les deux aventuriers.

1 bonne réponse =
1 planche
supplémentaire
1 mauvaise réponse =
1 difficulté

Qu'est-ce
qu'un ara ?

—Euh…, hésite 6-Mon. Sais-tu ce que c'est, toi, un ara? demande-t-il à son amie.

—C'est quand on fait tomber toutes les quilles avec une seule boule?

— Hein? Non, voyons! Ça, c'est un «abat». Tu n'es pas habituée de jouer aux quilles, ça paraît. Je crois plutôt qu'il s'agit d'une sorte d'arme. Tu sais, le genre de truc utilisé pour faire des arts martiaux.

— Ah... Peut-être. Alors on essaie ça?

— **OK!** Voici notre réponse : un ara est une arme.

**Mauvaise réponse !
Un ara est
un perroquet.**

Non seulement ils n'obtiennent pas de planche supplémentaire pour compléter le pont, mais un groupe d'aras

247

multicolores fonce sur eux
pour les faire tomber
du pont.

Ils les picossent avec
leurs becs pointus.

Ils leur donnent des coups de griffes...

SCRATCH!
SCRATCH!
SCRATCH!

—*Ouch!*

... et essaient de les faire tomber en battant des ailes le plus fort possible.

250

FIOUCHE! FIOUCHE! FIOUCHE!

La situation est grave.
Les deux amis peuvent
tomber à tout moment.

6-Mon a une idée.
Il étire le bras pour
cueillir un fruit tout rouge
et le lance très haut dans
les airs. Affamés,
les perroquets se battent
pour obtenir leur part
du mystérieux fruit.

251

—Bravo ! le félicite
Ad-èLe. C'était bien pensé.

—Merci. J'espère
seulement que les autres
questions ne seront pas
aussi difficiles, parce
qu'on ne réussira jamais
à traverser ce pont.

Le tableau réapparaît.

Comment appelle-t-on le long fleuve qui parcourt la forêt amazonienne?

— Ça, je le sais! annonce 6-Mon avec fierté. C'est l'Amazone.

Exact.

Aussitôt, une planche
de bois apparaît et Ad-èLe
avance d'un pas. Rien n'est
gagné, cependant. Avant
qu'une autre question
soit posée, des lianes
surgissent de nulle part
et s'enroulent autour
de la jeune
fille.

—Hé! Qu'est-ce que
vous faites? se fâche
Ad-èLe, en se débattant
de toutes ses forces.
Vous n'avez pas le droit!

Mais les lianes tiennent bon. Ad-èLe n'arrive plus à bouger les bras ni les jambes. Si ça continue, elle aura bientôt du mal à respirer.

—Lâchez-moi! 6-Mon!
À l'aide!

De quoi les plantes ont-elles besoin pour vivre?

—Réponds, 6-Mon!
implore Ad-èLe, la voix
de plus en plus étouffée.

Le garçon ferme les yeux
pour mieux se concentrer.
Il n'a pas envie de rater
son coup. Devant lui,
Ad-èLe n'émet plus un
son. Oh non! Elle ne peut
pas être morte! 6-Mon
prend son courage à deux
mains et répond:

—Premièrement, elles
ont besoin d'eau. Il leur
faut aussi de l'oxygène et
de la lumière.

Il n'a pas besoin d'en
dire plus.

Exact.

Les lianes relâchent leur
prise autour d'Ad-èLe,
qui respire enfin à plein
poumons.

—Merci..., grommelle-
t-elle, en retrouvant
ses esprits.

OUUUUUUUUUFFF!

—Ça me fait plaisir.
Regarde, tu peux avancer
encore un peu.

Ad-èLe pose le pied
sur une nouvelle planche,
les jambes tremblotantes.
Elle est presque arrivée
de l'autre côté.

259

Cet animal se déplace très lentement et dort environ douze heures par jour.

— Douze heures par jour ? répète 6-Mon, étonné.
Tu parles d'un paresseux !

Exact.

—Hein? Quoi? Je n'ai même pas répondu.

6-Mon n'y comprend rien. Pourquoi une autre planche est-elle apparue?

—Tu as donné la bonne réponse sans le savoir, rigole Ad-èLe. Un paresseux, c'est un animal qui vit ici, en Amazonie.

COOL!

—Elle était facile, celle-là !
Regarde, dit 6-Mon,
en pointant droit devant.
Tu peux avancer.

—Mieux que ça ! Je peux
enfin quitter ce pont.

Sans perdre une
seconde, Ad-èLe pince
les lèvres et saute le plus
loin possible.

Elle atterrit finalement sur la plate-forme qui se trouve de l'autre côté.

—Super! J'ai réussi! À toi, maintenant.

—J'ai peur de tomber dans le vide, avoue 6-Mon, hésitant.

—**BAH!** Si tu tombes, tu te feras grignoter les orteils par les piranhas, c'est tout.

6-Mon fait une grimace
à son amie et pose un pied
sur la première planche
de bois. Les mains bien
agrippées aux cordes,
il avance lentement,
sans cesser de trembler.

— Allez, tu es capable !
l'encourage Ad-èLe.
Ça va bien !

6-Mon continue à mettre
un pied devant l'autre sans
toutefois regarder en bas.

Il s'attend à se faire
attaquer par un crocodile
ou par des araignées
mangeuses d'hommes...
mais non. Tout est
tranquille. Il n'est plus
qu'à quelques mètres
de son amie.

Mais tout à coup,
les cordes cèdent et le pont
bascule dans le vide.

AAAAAHHHH!

—6-Mon!
Oh non! 6-Mon!
crie Ad-èLe de toutes
ses forces. 6-Mon!
Où es-tu? Réponds-moi!

—Je suis làààààà…

Ad-èLe avance au bord
de la plate-forme et
se penche pour essayer
de trouver son ami.

267

Il est juste sous ses pieds, solidement accroché à des branches et des feuilles d'arbres.

—Oui, mais aide-moi ! Je ne réussirai pas à remonter tout seul.

Ad-èLe se penche et
agrippe un bras de 6-Mon.

Elle tire. Oh... Hisse!
Oh... Hisse!

Mais elle ne parvient
pas à le remonter.

Tu es
trop lourd!

—C'est toi qui n'es pas assez forte. Tire encore !

Au même instant, un bruit étrange attire l'attention des deux amis.

Ad-èLe relève la tête et fige de peur.

—Qu'est-ce que c'était?
demande 6-Mon, toujours
accroché aux branches
d'arbres.

—C'était… c'était une
bête féroce.

—Quel genre de bête féroce?

—Le genre poilu à grandes dents. Un jaguar, je crois!

L'animal semble prêt à attaquer. Il avance lentement, très lentement, la tête penchée et la queue droite.

—On doit te sortir de là et vite! gémit Ad-èLe, complètement paniquée.

—Il arrive! Ti-babouette!

273

Ensemble, les deux aventuriers redoublent d'efforts et 6-Mon réussit à rejoindre la petite plate-forme juste au moment où le jaguar bondit vers eux.

TOP ZONE 2.0

Niveau réussi!

Le souffle puissant les emporte et la gueule de la bête disparaît en même

temps que la forêt
amazonienne.

LE MONDE

— OUUUUUUUUFFF!

On l'a vraiment échappé
belle! s'exclame 6-Mon,
le souffle court.

275

—Tellement! Tu as vu
ses énormes dents?

—Et ses griffes? Moi j'ai
surtout vu ses griffes.

Les deux aventuriers
s'accordent quelques
minutes pour reprendre
leurs esprits. Pendant ce
temps, la carte du monde
s'illumine.

TOP ZONE 2.0

**Félicitations !
Vous avez neutralisé
la cinquième météorite.**

—Je me demande ce qui nous attend pour la suite, s'inquiète Ad-èLe, un peu plus reposée.

—Peu importe, ça ne peut pas être plus dangereux que le niveau qu'on vient de terminer.

 277

—Je suis d'accord avec
toi.

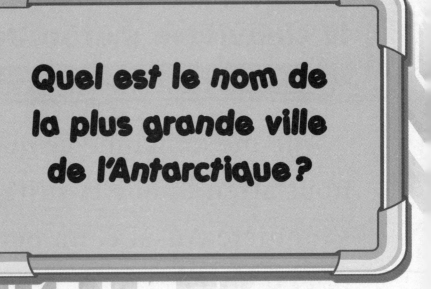

Quel est le nom de
la plus grande ville
de l'Antarctique?

Les deux amis se
regardent, confus.

—Je n'en ai aucune idée,
bredouille 6-Mon. Je ne

savais même pas qu'il y avait des villes en Antarctique.

—Il n'y en a pas, justement, explique Ad-èLe. Il fait beaucoup trop froid.

TOP ZONE 2.0

Bravo! Vous êtes prêts à continuer!

Aussitôt, Ad-èLe et
6-Mon se transforment
en blocs de glace.

SIXIÈME ESCALE

PAR ICI, PETITS, PETITS POISSONS!

L'ANTARCTIQUE

281

Une fois les blocs de glace fondus, 6-Mon et Ad-èLe plissent les yeux. Tout est blanc autour d'eux. Blanc et bleu. Il y a de l'eau à perte de vue, ainsi que des glaciers plus gros que des édifices de dix étages.

—  C'est vraiment beau, l'Antarctique! remarque Ad-èLe.

—Oui, tu as raison, c'est magnifique.

—Bon! Qu'est-ce qu'on doit faire?

Les deux aventuriers observent les alentours et trouvent un écriteau de bois.

DESCENTE D'ICEBERG. RÉCOLTEZ 5000 POINTS

—Comment fait-on
pour récolter des points?
demande 6-Mon.

—On va devoir essayer
pour comprendre le jeu.
Regarde, il y a une luge
de bois, juste ici.

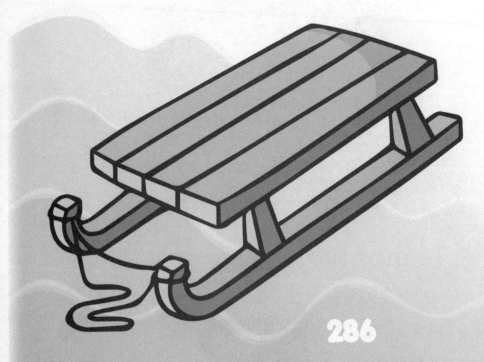

286

Au moment où
ils touchent à la luge,
les deux amis sont
projetés au sommet
d'un immense iceberg.

—J'ai l'impression
qu'on doit descendre ici,
comprend 6-Mon,
en pointant une glissade
recouverte de neige.

— Yé! J'adore glisser !
Je monte devant !

Ad-èLe s'installe à
l'avant de la luge de bois
et attend que 6-Mon
prenne place derrière elle.

—Es-tu prêt? Allons-y!

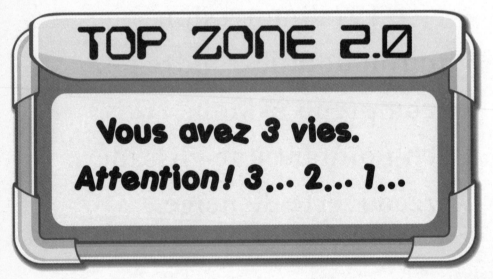

C'est parti!

La luge descend à toute vitesse. La sensation est géniale! Les deux amis filent à toute allure et ouvrent grand les yeux pour comprendre comment accumuler des points.

—Regarde! Il y a un poisson devant nous, remarque Ad-èLe. Tu crois qu'il faut l'attraper?

289

—Essayons!

Ad-èLe se penche sur
la droite pour que la luge
tourne un peu et fonce
directement dans
un poisson qui sautille
dans les airs.

 Un pointage
clignote.

—Super! Regarde! Il y en a d'autres! Attrapons-les tous!

 Un autre poisson.

Et trois autres!

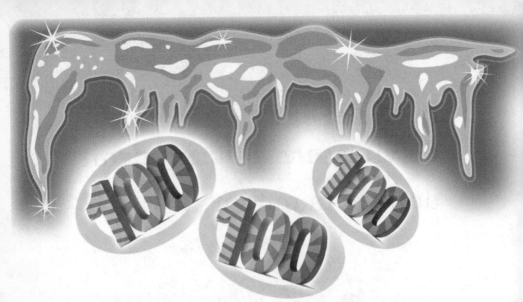

—Ça va bien! Si ça
continue comme ça,
on va très vite atteindre
les 5000 points.

—Oh! Regarde!
Un manchot droit devant!

Les deux amis se
penchent vers l'avant

pour prendre encore plus
de vitesse et foncent droit
dans le manchot...

— **WOW !** C'est très payant, un manchot !

— Attention ! Il y a une crevasse !

Ad-èLe essaie de faire dévier la luge sur la gauche...

Allez, allez, allez !

... mais elle ne parvient pas à éviter le trou.

294

ZLOUP!

La luge plonge dans l'eau et un signal sonore leur annonce qu'ils ont échoué.

TOUM! TI-TA TOUM

VEUILLEZ RECOMMENCER

 295

Le paysage change
et les deux amis se
retrouvent une fois
de plus au sommet
de l'iceberg.

ZUT!

—On a perdu tous nos
points, constate 6-Mon.

—Oui, et on a aussi
perdu une vie. Mais ce
n'est pas grave. On
comprend mieux le jeu,
maintenant. Tu veux
t'asseoir devant?

– **OK!!**

TOP ZONE 2.0

Vous avez 2 vies.
Attention! 3... 2... 1...

C'est parti!

Ziouuuu!

Encore une fois, la luge descend à toute vitesse. Même si le trajet n'est pas tout à fait le même, 6-Mon réussit à manœuvrer sans trop de difficulté.

297

Un poisson!

Un manchot!

Une crevasse? Pas de problème! 6-Mon lève les bras dans les airs et **Hop!** La luge bondit pour passer par-dessus le trou.

—**WOW!** Tu es vraiment bon, 6-Mon! le félicite Ad-èLe.

—Chut! Je dois rester concentré. Oh! Regarde! Un tunnel!

Les deux amis se penchent vers l'avant et pénètrent dans un long tunnel de glace. À l'intérieur, il fait plutôt sombre,

mais ils parviennent
tout de même à attraper
trois poissons...

... et ils foncent directement dans un gros tas de crème glacée.

—Oh non ! Je suis
désolé, Ad-èLe, s'excuse
6-Mon une fois qu'ils
sont remontés au sommet
de l'iceberg. Je croyais
que la crème glacée nous
donnerait des points.

—Ce n'est pas grave,
tu ne pouvais pas savoir.

—Oui, mais il ne nous
reste qu'une seule vie.
On doit réussir !

—Je te fais confiance.
Cette fois-ci sera la bonne.

Les deux aventuriers
reprennent place sur
la luge et attendent
le décompte.

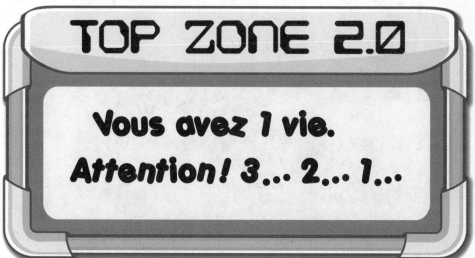

TOP ZONE 2.0

Vous avez 1 vie.
Attention ! 3... 2... 1...

C'est parti !

ZIOUUUU !

6-Mon et Ad-èLe
ouvrent grand les yeux
et font tout pour guider
la luge le mieux possible.
Tout de suite après
la première courbe,
ils parviennent à capturer
deux poissons.

Puis, ils sautent pour
toucher la nageoire
d'un manchot.

—Ça va bien! Ça va bien!
lâche Ad-èLe, pour
encourager son ami.
Hé! Qu'est-ce que c'est,
juste devant?

—On dirait un phoque,
répond 6-Mon.

—Tu veux qu'on y touche, ou pas?

—Je n'en sais rien! Si on essaie et qu'on meurt, le jeu sera terminé et on devra tout recommencer depuis le début.

—Oui, mais peut-être que c'est bon, un phoque. Regarde, il scintille.

La luge approche à toute allure. Les deux amis doivent prendre une décision. Éviter le phoque ou foncer dedans? 6-Mon se penche vers l'avant pour accélérer. Il a fait son choix. Tant pis si ça ne fonctionne pas.

GLING! GLING! GLING! 2000 points!

—Yé! 2000 points!

—On est trop bons! réplique 6-Mon, bien déterminé à terminer le niveau. On a déjà amassé 3200 points! Tiens, voilà deux autres poissons.

6-Mon lève les bras pour sauter par-dessus une crevasse et penche un peu vers la droite pour cueillir deux poissons au passage.

La luge prend de plus
en plus de vitesse et
6-Mon a du mal à
la diriger.

—Je vais perdre
le contrôle, si ça
continue.

—Est-ce qu'il y a moyen de freiner?

Comment savoir?

6-Mon n'a pas le temps d'inspecter la luge à la recherche d'une pédale de frein ou d'un quelconque bouton. Il garde les yeux rivés devant lui, attentif au moindre obstacle.

—Attention! crie
Ad-èLe, alors qu'un
immense tas de crème
glacée se forme
devant eux.

—Oui, je l'ai vu!
répond 6-Mon. Je vais
sauter par-dessus.

—Non! Il est trop haut!

—Je vais tourner à droite.

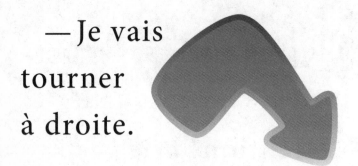

—Non! Il n'y a pas de place! On va tomber dans le vide.

—Je vais tourner à gauche, alors!

—**OK**, mais fais viiiiiite!

ZOOOOOUUUUU!

La luge parvient
de justesse à contourner
le tas de crème glacée et...

... trois poissons sautent
directement dans le visage
de 6-Mon.

— **Ouache!** Ils sont visqueux!

—Et ils puent! ajoute Ad-èLe, dégoûtée. Si j'ai bien compté, nous en sommes à 3800 points.

—On doit se dépêcher à atteindre les 5000 points, parce que la luge va de plus en plus vite.

J'ai l'impression
que je vais perdre
le contrôôôôôôle!

6-Mon n'a pas vu la
petite butte de glace qui
se trouve juste devant eux.
Au lieu de la contourner,
il fonce directement
dessus et
la luge

MOOOHHHHte, MOOOHHHHte, MOOOHHHHHte...

AHHHHHHHH!

6-Mon et Ad-èLe sentent leur cœur se serrer quand la luge se décide enfin à redescendre.

—On va s'écraser! s'époumonne 6-Mon.

—Je sais!

—On va mourir! ajoute-t-il.

—Je sais!

—On va éclater en mille morceaux!

Ad-èLe ne répond pas. Elle sort le bras en dehors de la luge. Elle s'étire... s'étire... et s'étire encore... et parvient à toucher un phoque du bout des doigts. Ainsi, au lieu de s'écraser brutalement sur la glace, la luge flotte un

317

GAME OVER

moment à quelques mètres
du sol.

TOP ZONE 2.0

Vous avez récolté
5800 points.

Sixième escale
réussie !

BRAVO

Un courant d'air glacial
enveloppe les deux amis et
le niveau disparaît.

LE MONDE

—Bien joué, Ad-èLe, soupire 6-Mon, en tapotant l'épaule de son amie. J'ai bien cru qu'on allait s'écraser.

—Ouf! Moi aussi! Mais on a réussi. Contente de voir qu'on ne sera pas obligés de recommencer le jeu à partir du début...

—Ça serait bien trop
décourageant!

Les deux aventuriers se
retournent vers la carte
du monde.

TOP ZONE 2.0

**Félicitations!
Vous avez neutralisé
la sixième météorite.**

—Regarde, on a presque
fini! s'exclame 6-Mon,

enthousiaste. Il ne reste
que l'Afrique.

Voici le dernier niveau.
Soyez prêts à TOUT !

Affrontez toutes
les épreuves avec
succès et la dernière
météorite sera
désactivée. Affrontez
toutes les épreuves
avec succès et vous
sauverez la TERRE.

321

GAME OVER

Affrontez toutes les épreuves avec succès et vous deviendrez les HÉROS du monde! BONNE CHANCE!

Ad-èLe et 6-Mon prennent une grande inspiration et appuient en même temps sur l'Afrique. Une intense chaleur les enveloppe.

DERNIÈRE ESCALE

PARVIENDREZ-VOUS À SURVIVRE JUSQU'À LA FIN ?

L'AFRIQUE

325

ès qu'ils arrivent dans le décor du niveau, les deux aventuriers se cachent le visage avec les mains. Le soleil est si puissant qu'ils en ont les larmes aux yeux. Autour d'eux, il n'y a que du sable. Des tonnes et des tonnes de sable.

GAME OVER

—Nous sommes
dans le désert du Sahara,
comprend 6-Mon,
en observant le paysage.
On ne devrait pas rester
ici. Il fait si chaud qu'on
risque très vite de
manquer d'eau.

Les deux amis se mettent donc en route. La marche est longue et difficile. La chaleur du soleil leur brûle la peau et le sable les empêche d'avancer rapidement.

329

GAME OVER

Un peu plus loin devant
eux, ils aperçoivent
un gros animal.

— Un dromadaire !
soupire Ad-èLe, soulagée.
On va pouvoir monter
sur son dos !

331

GAME OVER

—Euh… Es-tu certaine de vouloir monter sur **CETTE CHOSE?** s'inquiète 6-Mon. Il est très **GROS**, ce dromadaire… et très **HAUT**… et il a de très grandes **DENTS**…

—Tu vois ses dents d'ici?

—Non, mais j'arrive très bien à les imaginer en train de me mordre les fesses. Et ça fait déjà mal, je peux te l'assurer!

—Allez! Un peu de courage!

Ad-èLe agrippe la main de 6-Mon et le traîne à sa suite. Arrivés à la hauteur du dromadaire, les deux amis figent sur place, impressionnés.

L'animal porte des lunettes
de soleil et un grand chapeau.

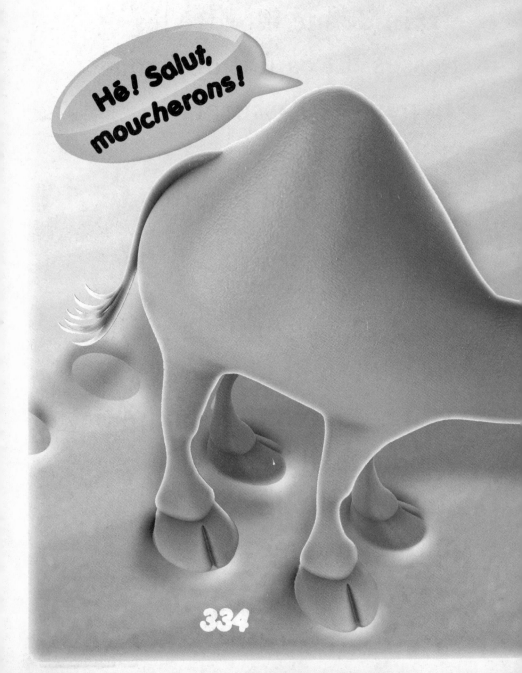

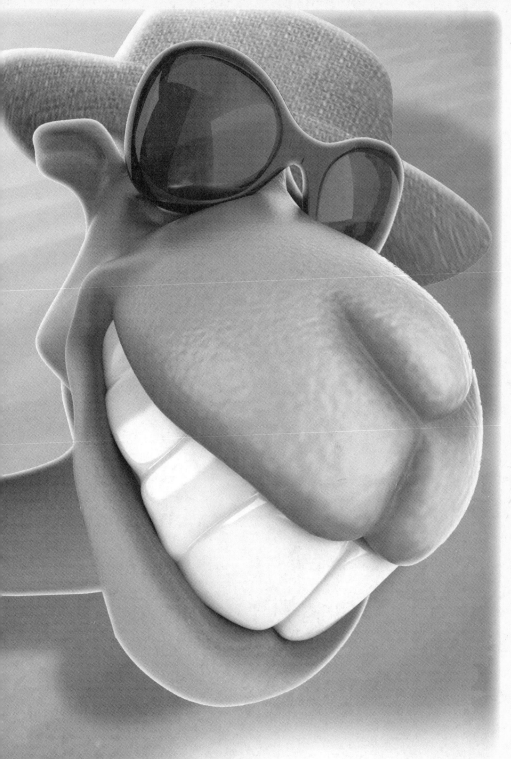

335

—Euh… Bonjour,
monsieur le dromadaire,
marmonne 6-Mon,
peu rassuré.

—Quel bon
vent vous
amène?
Le vent-dredi
ou le vent-deur
de pizza?

6-Mon et Ad-èLe se regardent, incertains.

— Voici votre épreuve, continue le dromadaire. J'ai un problème, voyez-vous. La bosse qui est sur mon dos est complètement vide. Trouvez le moyen de la remplir d'eau et vous pourrez passer à l'étape suivante.

337

Ad-èLe fronce les sourcils, mais 6-Mon parle avant elle:

— Comment voulez-vous qu'on trouve de l'eau? Nous sommes en plein désert!

— Oh! Mais ce n'est pas mon problème, les enfants. Vous devez faire preuve d'intelligence et de débrouillardise!

6-Mon se tourne vers
son amie et la supplie
de trouver une solution.

 339

—As-tu une idée? Peut-il y avoir de l'eau cachée quelque part sous le sable? Dans les nuages? Non... Il n'y a aucun nuage... Dans les plantes, alors? Non... Il n'y a aucune plante non plus... On est fichus!

—Non… On n'est peut-
être pas fichus…, réplique
Ad-èLe, en se tenant
le menton pour mieux
réfléchir.

6-Mon observe la jeune
fille, plein
d'espoir.

341

GAME OVER

Cet animal raconte n'importe quoi, annonce-t-elle enfin. La bosse des dromadaires n'est pas remplie d'**EAU**, elle contient de la **GRAISSE!** Je ne vois pas comment on pourrait la remplir!

—Voilà une jeune fille bien brillante, marmonne le dromadaire. Félicitations, vous avez réussi la première étape.

344

Aussitôt, Ad-èLe sent
ses pieds s'enfoncer.

— **WOW!** Il se passe
quelque chose d'étrange!

6-Mon comprend tout
de suite la gravité de la
situation. Il agrippe
les mains de son amie
et s'allonge au sol.

—Qu'est-ce que tu fais?

—Ce sont des sables
mouvants, explique
6-Mon, toujours couché.
Ne bouge surtout pas,
je vais te tirer de là!

—Des sables mouvants? s'inquiète Ad-èLe. Oh non! Si ça se passe comme dans les dessins animés, je vais bientôt disparaître!

347

—Personne ne va disparaître, fais-moi confiance!

6-Mon rassemble toutes ses forces et tire...

tire...

TIRE...

mais Ad-èLe continue de s'enfoncer. Bientôt, ses jambes ont complètement disparu.

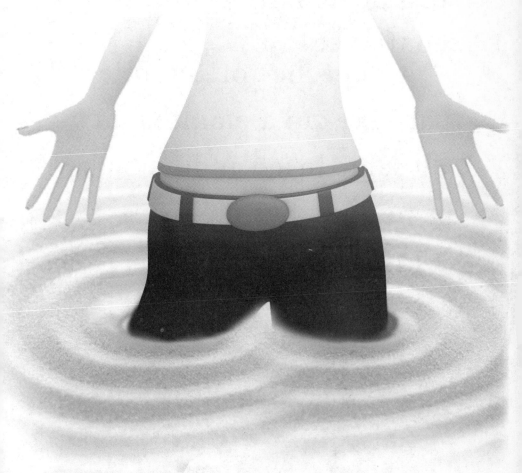

— Tu dois trouver une
solution! panique-t-elle,
en se débattant.

 349

—Oui, c'est ce que
j'essaie de faire!

—Dépêche-toi! supplie
Ad-èLe, qui a maintenant
du sable jusqu'au nombril.
Je ne veux pas mourir!

—Ne me lâche surtout
pas!

—Bien sûr que
non! Si tu t'enfonces,
je m'enfonce avec toi.

C'est exactement
ce qui se produit.
Les deux aventuriers sont
complètement aspirés
par les sables mouvants.

SLURB!

353

Ils n'arrivent plus à bouger. Ils n'arrivent plus à respirer. Ils ne parviennent même pas à garder les yeux ouverts.

Puis, au bout de quelques secondes, les sables mouvants les propulsent à la surface.

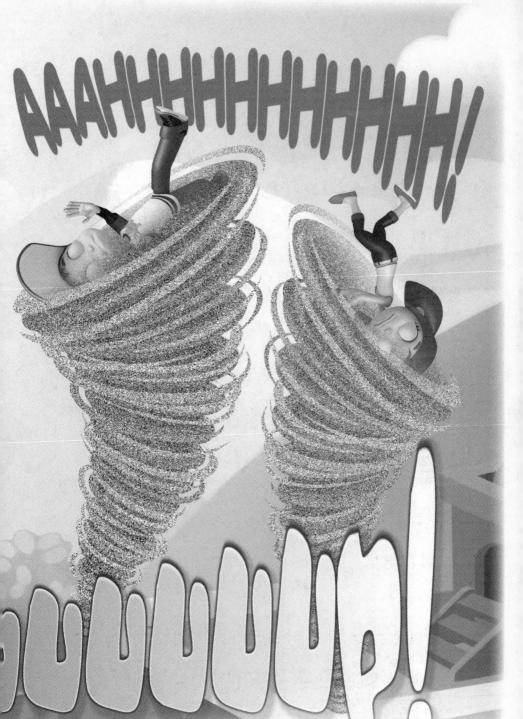

Cette fois,
ils ne sont plus dans
le désert. Ils se retrouvent
au cœur d'un petit village
rempli d'enfants.

—Incroyable ! On s'en
est sortis ! s'étonne 6-Mon,
en secouant ses vêtements
couverts de sable.

—Oui, c'était un passage secret, finalement.

—Il est vraiment mignon, ce petit village.

Autour d'eux, les visages joyeux des enfants se transforment sous la peur.

Les rires font très vite place aux cris de terreur. 6-Mon et Ad-èLe tournent sur eux-mêmes et aperçoivent...

... des centaines et des centaines de scorpions qui approchent.

361

—Qu'est-ce que tu disais?
hurle Ad-èLe, terrifiée.
Ce village est **MIGNON?**

—Je retire ce que j'ai dit!
Ti-babouette! On doit
se débarrasser de
ces bestioles!

—Je veux bien, mais
je ne connais rien aux
scorpions à part le fait

qu'ils ont des pinces
effrayantes et que leur
venin peut être dangereux.

Comment faire
pour les tuer ?

Ad-èLe regarde partout
autour à la recherche
d'un outil qui pourrait
les aider. Un peu plus
loin, deux lances sont
accrochées au mur
d'une petite maison.

Oui!
C'est ça!

Ad-èLe court le plus vite qu'elle peut, agrippe les lances et revient sur ses pas pour en donner une à son ami.

Transperçons-les!

6-Mon frissonne à cette idée et accepte d'un hochement de tête.

Les deux aventuriers
partent donc à la
chasse aux scorpions.

Ad-èLe en élimine un.

365

6-Mon en élimine
un autre.

—Il y en a vraiment
beaucoup! se plaint
Ad-èLe.

—Ça va bien! On ne
doit pas abandonner,
l'encourage 6-Mon.

Les minutes s'écoulent et
les scorpions disparaissent
un à un. Quand 6-Mon
réussit à se débarrasser de
la toute dernière bestiole,
les deux amis sont
applaudis par tous les
habitants du village. Puis,
le sol s'enfonce une fois de
plus sous leurs pieds.

367

Maintenant qu'ils savent
que les sables mouvants
ne sont pas dangereux,
les aventuriers se laissent
glisser sans se débattre.
Ils retiennent leur
respiration, puis...

Ils arrivent dans une plaine remplie de buttes de terre séchée. Dans ces buttes, il y a des dizaines de petits trous.

— Regarde ! dit Ad-èLe,
en pointant la minuscule
tête qui est apparue dans
un des trous. Ce sont
des suricates.

— Oh! J'adore les suricates! J'en ai vu, l'autre jour, au zoo. Dommage qu'on doive les écrabouiller.

— Les écrabouiller? répète Ad-èLe, les yeux tristes. Pourquoi?

6-Mon s'avance pour commencer la démonstration. Il s'empare d'un gros marteau de

mousse et frappe la tête
d'un suricate avant qu'il
ait le temps de disparaître.

Aussitôt, un pointage
s'illumine au-dessus
du trou de la petite bête.

—Bon..., marmonne
Ad-èLe. Si on doit
les écrabouiller...
Alors écrabouillons-les !

Elle saisit le manche d'un autre marteau et se met au travail, elle aussi.

—Oh! C'est vraiment amusant!

Les deux amis s'en donnent à cœur joie.

Ils courent de trous en trous, appellent les suricates : « Par ici, petits, petits ! » et les assomment avec vigueur les uns après les autres. Ils s'amusent tellement qu'ils ne voient pas le temps passer, ni le pointage augmenter.

 375

TOP ZONE 2.0

5000 points!
Objectif atteint!

Les suricates disparaissent et les sables mouvants les enveloppent une fois de plus.

Lorsqu'ils refont surface, 6-Mon et Ad-èLe se retrouvent sur un grand trottoir de pierre. Dans le décor autour d'eux,

il y a des centaines et des centaines de petites pyramides.

—Nous sommes en Égypte! comprend 6-Mon.

Mais les deux amis n'ont
pas le temps d'apprécier
le voyage. Déjà, un tableau
lumineux leur présente
un décompte.

TOP ZONE 2.0

3... 2... 1... C'est parti!

—Qu'est-ce qu'on doit
faire? demande Ad-èLe.

— Attendons de voir, propose 6-Mon.

Le trottoir qui est sous leurs pieds commence à bouger à la manière d'un tapis roulant. Ad-èLe jette un coup d'œil par-dessus son épaule et comprend qu'ils doivent avancer.

—Il y a un gros
trou noir, derrière
nous, explique-t-elle.
On va tomber à
l'intérieur si on n'avance
pas assez vite.

—Courons, alors!

Le décor varie à mesure que le tapis défile sous les pieds de 6-Mon et Ad-èLe. Ils voient passer des dunes de sable, des dromadaires, des blocs de pierre, des touristes. Le problème, c'est qu'à force de courir, leur réserve d'énergie s'épuise rapidement.

Puis, juste devant eux, une petite pyramide approche à grande vitesse. Sans hésiter, 6-Mon s'élance et saute à pieds joints sur la pyramide.

BOUING!

—Ça donne de l'énergie !
Tu devrais essayer !

Un sphinx se
présente devant
eux et Ad-èLe
imite le geste
de son ami.

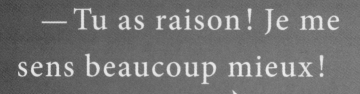

— Tu as raison! Je me sens beaucoup mieux!

Pendant plusieurs minutes, les deux complices courent, courent et courent encore. Ils contournent des serpents furieux,

évitent des lézards
à grandes
dents

et sautent
par-dessus
des chats
agressifs.

Quand ils rencontrent une pyramide ou un sphinx, ils bondissent dessus...

... et voient leur énergie grimper en flèche.

—Je me demande combien de temps on va encore courir comme ça, gémit 6-Mon, essoufflé.

—J'ai l'impression qu'on est presque arrivés ! l'encourage Ad-èLe. Regarde ! Il y a une grande pyramide, tout au fond. Elle s'approche de nous à mesure qu'on progresse dans le niveau.

En effet, la pyramide
est de plus en plus **GROSSE**.
Les deux amis écrasent
encore un ou deux
sphinx,

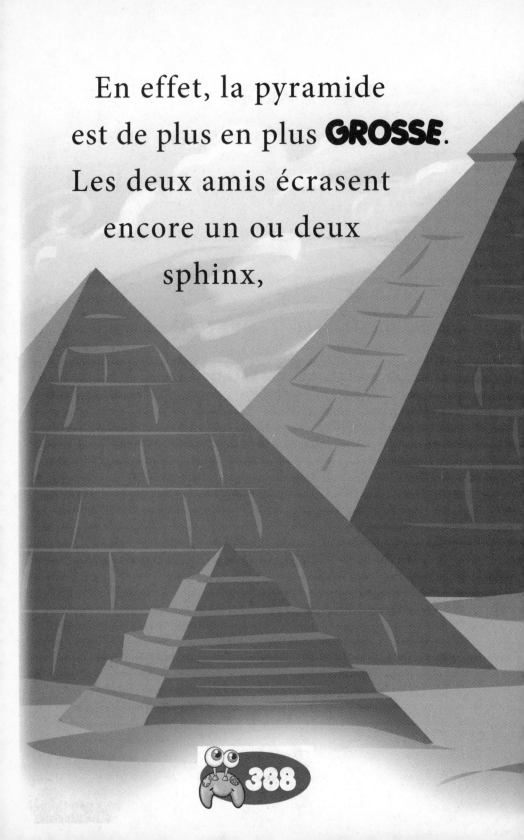

contournent un dernier lézard et, enfin, ils entrent à l'intérieur du monument.

Super! s'exclame Ad-èLe, les yeux ronds. J'ai toujours rêvé de visiter une pyramide d'Égypte.

Mais les sables mouvants réapparaissent et Ad-èLe n'a pas le temps d'admirer la beauté des lieux. 6-Mon non plus, d'ailleurs. Les deux amis retiennent leur respiration tandis qu'ils sont une fois de plus aspirés dans le sol.

Cette fois, quand ils surgissent à la surface, ils se retrouvent en face d'une Africaine aux cheveux très **TRÈS** longs.

Un tableau lumineux
leur donne des directives.

Zahira veut
six tresses. Vous
disposez de deux
minutes.

Ad-èLe se retourne vers
son ami, le visage blême.

—On ne réussira jamais
cette partie du défi,
je suis désolée!

—Pourquoi dis-tu ça?
l'interroge 6-Mon.

—Parce que je ne sais
pas faire des tresses.
Je n'ai **JAMAIS** su faire
des tresses.

Et alors?

—Et alors? Tu ne comprends pas? Si je ne parviens pas à tresser les cheveux de Zahira, on va échouer le niveau… et on va échouer le jeu au complet!

Ad-èLe lève les bras au ciel et rouspète:

—Six tresses!
Franchement! Qui peut
faire six tresses en deux
minutes? C'est **RIDICULE!**

—Moi, je peux,
marmonne 6-Mon.

VOYONS!

—Ne dis pas de bêtises!
bougonne Ad-èLe.
Tu n'y arriveras pas!

395

—Pourquoi? demande
6-Mon, vexé. Parce que
je suis un garçon? Les
garçons ne sont pas
supposés savoir faire
des tresses, c'est ça?

Le visage d'Ad-èLe
rougit. Oups! Elle n'avait
pas réalisé que son
commentaire pouvait
blesser son ami. Garçon
ou fille, ça n'a vraiment
pas d'importance!

—Fais-moi confiance,
je vais y arriver, lui assure
6-Mon, en s'installant sur
le petit tabouret posé
devant lui.

Zahira s'assoit à son tour
et le décompte commence:

3... 2... 1... Tressez!

6-Mon fait aussi vite qu'il le peut. Il divise les cheveux de Zahira en six sections et s'empare de la première mèche pour commencer à la tresser. Ses doigts sont agiles et rapides.

—**WOW!** Tu es vraiment bon! le félicite Ad-èLe.

—Merci! C'est ma grand-mère qui m'a appris, quand j'étais petit. En voilà une de faite!

Ad-èLe jette un coup d'œil au tableau.

—Il te reste du temps! Continue!

Pendant que 6-Mon
attaque une autre mèche
de cheveux, Ad-èLe
sautille sur place à côté
de lui. L'instant est
critique. Ils sont rendus
tellement loin dans le jeu
qu'ils ne veulent surtout
pas rater cette épreuve.
Les conséquences seraient
catastrophiques!

—Il t'en reste encore
deux à faire! s'impatiente
Ad-èLe. Grouille!
Le temps file!

—Ça serait beaucoup
plus facile si tu arrêtais de
sauter et de me crier dans
les oreilles! la gronde
6-Mon. Calme-toi un peu!

—Je n'y arrive pas! C'est la première fois que je me sens si impuissante dans une épreuve. J'ai le goût de t'aider, mais je ne sais pas comment.

—Arrête de parler, arrête de sauter et arrête de respirer! Ça va m'aider!

Ad-èLe a compris le message. Elle ne veut pas que 6-Mon rate son coup

par sa faute, alors elle
s'éloigne pour le laisser
travailler.

Son ami entame
la dernière tresse. Il est
rapide, mais les cheveux
de Zahira sont vraiment
très **TRÈS** longs. Il ne reste
que quinze secondes au
tableau. Y arrivera-t-il
à temps?

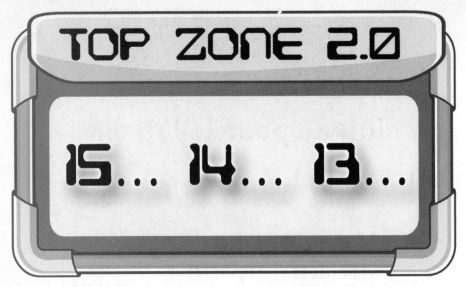

—*Oh my god!* murmure Ad-èLe, le cœur battant. Il doit réussir! Il doit réussir!

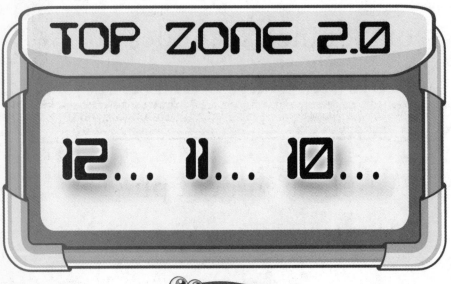

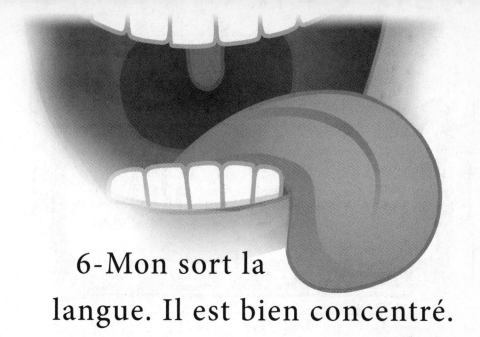

6-Mon sort la langue. Il est bien concentré.

TOP ZONE 2.0

9... 8... 7...

Ad-èLe n'en peut plus !
L'attente est insupportable !

405

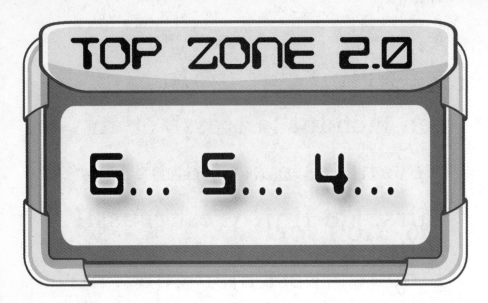

TOP ZONE 2.0

6... 5... 4...

La tresse est presque
finie... il ne reste qu'à
enrouler l'élastique...

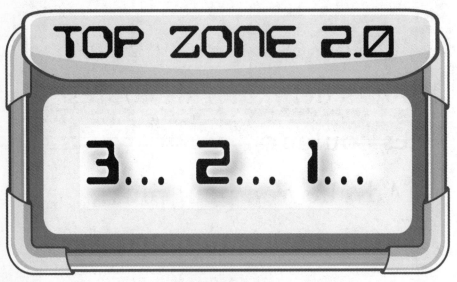

TOP ZONE 2.0

3... 2... 1...

—Fini! crie 6-Mon en lâchant la tresse et en levant les mains dans les airs. J'ai fini! C'est réussi!

Ad-èLe court vers son ami pour le féliciter. Aussitôt, une pluie de confettis surgit de nulle part et les enveloppe de bouts de papier de toutes les couleurs.

TOP ZONE 2.0

FÉLICITATIONS! VOUS AVEZ RÉUSSI À NEUTRALISER LA DERNIÈRE MÉTÉORITE! LES HABITANTS DE LA PLANÈTE TERRE SONT SAUVÉS. VOUS ÊTES DES HÉROS! DES HÉROS! DES HÉROS!

—On a terminé le jeu! comprend Ad-èLe, tout excitée! On a terminé le jeu!

—Oui! On a réussi! ajoute 6-Mon, en sautant dans les airs.

NOUS SOMMES LES MEILLEURS!

À peine ont-ils
commencé à célébrer
qu'une lumière
clignotante apparaît
et grossit...

grossit...

GROSSIT!

VLOUP!

Les deux amis
reprennent le chemin
du tunnel lumineux.

Ils flottent, flottent,
flottent, et...

411

POUF!

... ils retrouvent le décor de la chambre de Simon.

—Cette version du jeu était encore plus **INCROYABLE** que la première! s'exclame Adèle. J'espère qu'il y en aura une autre!

—Oui! Moi aussi! dit Simon en se tournant vers l'écran du téléviseur.

TOP ZONE 2.0

BRAVO!

CHERS AVENTURIERS DES JEUX VIDÉO. VOUS AVEZ RÉUSSI TOP ZONE 2.0! CLIQUEZ ICI POUR TÉLÉCHARGER LA NOUVELLE VERSION DU JEU:

TOP ZONE 3.0

413